D1462083

世界科幻精品画库

guaiyiwuqi

怪异武器

◆徐 芝主编

●福建少年儿童出版社

HOUSTON PUBLIC LIBRARY

R01229 22671

编文 张　彦　徐山衡

绘画

刘建敏　曾舒夏

吕金岳　高孔丁　姜陆文

吴婧琳　范卓元　赵一梅

陈庆隆　孙林萧　黄鲁曲

郑天耕　林寒欧

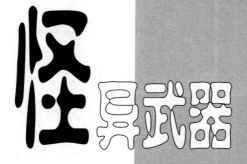

怪异武器

(1)这幢庞大的建筑属于政府研究机构,也是这个国家的科学成果的中心。

(2)一般的人不可能了解它的奥秘。因为,从外表上看,它一点儿也不怪异。

(3)然而,它的外墙高出地面 40 英尺,深入地下 30 英尺,墙壁有 8 英尺厚,由大块的花岗石建成,墙面由特殊涂料涂于表面,连蜘蛛也无立足之处。

(4)墙基下面,也就是在地下 36 英尺处,是一套灵敏度高的传声系统,地底下任何一点动静都会被侦测记录。

(5)在这漫长的四方形墙壁上,只有两个口子,前面一个狭窄的口子供工作人员进出,后面一个较宽阔的供卡车进出。两个口子上都装着三重用淬火钢铸成的门,门重40吨,厚实而又坚固。

(6)门是用机械操作的,每次不能同时开启两重门。每重门都有高大结实的专职警卫看守。

(7)出去的人必须持有出门许可证。而且在门口都要耽搁一下,等身后的一重门关上后,前面的一重门才能开启。

(8)而进门更加严格。即使是熟悉的雇员,警卫也要检查他的出入证。还有出入证随时都可能更换。

(9)如果是一个陌生人,那么不论他的风度多么好,或是出示的证件多么具有权威性,他都要忍受第一道门警卫的冗长而尖锐的提问。

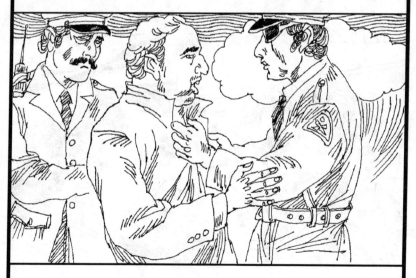

(10)提问之后,如果警卫没有完全满意,那个来访者就要被搜身。搜身包括搜查身上的任何隙缝。

(11)对来人身上任何被认为是可疑的、多余的、不合理的、解释不清的或是对于访问的目的而言并非绝对必需的东西，不论被搜查人提出什么抗议，那东西都将被扣留，直到出来时才能归还。

(12)而这还只是第一阶段。第二队警卫甚至不惜贬低第一队警卫的搜身技巧而坚持要再次搜身。这一次甚至可能包括把假牙摘取下来，然后检查那一览无遗的口腔。

(13)第三队警卫是由顽固不化的怀疑论者组成的。他们有一种令人气恼的习惯：一面把任何企图进去的陌生人挡在门外，一面同第一、二队的警卫核对，是否提过这个或那个问题，如果提过，他是怎样回答的，等等。

(14)他们还要进行彻底的搜身，迫使来访者不得不第三次把全身衣服脱光。他们还备有一台ｘ光机、一架测谎器、一架立体照相机、一套指印鉴定设备以及另外一些可恶的仪器。

(15)办公室、部门、车间和实验室也都用钢门严格地分隔开,之间的通道都由脾气执拗的警卫把守着。

(16)每一个独立的组都由走廊和门上的颜色明确标示出来。颜色在光谱上排列的次序越高,该区所要求的保密程度就越高,安全措施也就越严格。

(17)黄门区的人不准进入蓝门,但蓝门区的人可以进入黄色或排列顺序更低的颜色的区;同样,蓝门区的人绝对不能把鼻子伸到紫色门里面去。

(18)黑色在光谱上的排序最高,所以黑区的人可以随意出入其他区,但只有黑区的人、总经理以及全能的上帝才能进入黑区。其他人——即使是担任保卫工作的警卫,如果没有正式的邀请证,都无法进入。

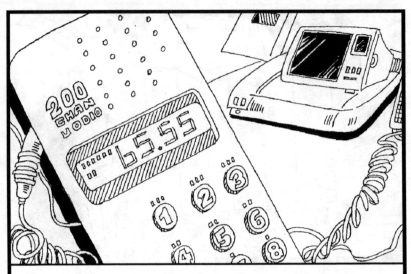

(19)埋放在墙壁、天花板甚至地板中的电线把警铃、警报器、门锁装置、精密传声筒、电视扫描器连接在一起。它们构成了整个企业复杂的神经系统。

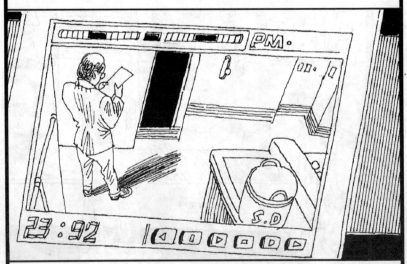

(20)在那里工作的人必须接受这一事实,即不断受到窃听或监视,甚至在盥洗室的时候——因为,有什么地方比这个小房间更适宜于记住、抄写或拍摄分类资料呢?所有的监视或窃听当然都是由黑门组的监控者掌握的。

(21)研究中心所属工厂的领导人,都是本行业中高度称职的专家,然而他们对其他领域一窍不通。为首的细菌学专家可以连续几小时谈论某一种新的剧毒微生物,却不知道土星究竟有两个还是十个卫星。

(22)整个工厂到处是各类专家,却缺少一类专家——那就是当某种暗示变得明显时能及时看出并理解的专家。

(23) 尽管工厂的雇员以逆来顺受的坚毅精神容忍着这些安全措施——搜身以及窥探，但大多数人都不喜欢这种以颜色来分区的制度。

(24)颜色已成为等级的象征。黄色区的人认为自己低于蓝色区的同事,尽管他们挣的工资是相同的;在红色门里面工作的人把自己看得比在白色门里面工作的人要高出几级。

(25)黑色区工作人员的妻子对此引以为自豪,白色区工作人员的妻子则为此而恼火。

(26)这一状况被视为"不可避免的事情",所有的人都无可奈何地接受了。但人并不是混凝土、钢铁或机械装置,而是有血有肉的。这一矛盾成了这座建筑的真正弱点。

(27)高层人士显然并不这样认为,所以,哈珀尼提出辞职引起的恼怒大于惊恐。

(28)哈珀尼是红色区一名专门研究真空现象的专家。42岁,至今仍是独身。这说明,除了工作以外,什么都引不起他的兴趣。事实也是如此,人们认为他感情冷漠得像一尊雕像。然而,他提出辞职了。

(29)部门负责人贝茨和负责安全工作的莱德勒叫他去面谈。他们并排坐在一张巨大的写字桌后面。哈珀尼坐在他们对面,眼睛在厚厚的镜片下不停地眨巴着。贝茨把一张纸扔在写字桌上,并朝前推了推。

(30)"哈珀尼先生,他们刚把这交给我,你的辞呈。这是什么意思?"
"我想离开这里。"哈珀尼说,不安地挪动着身子。

(31)"为什么?是不是在别的地方找到了更好的工作?如果是,替谁工作?我们有权知道。""没有。或许以后会去找。"哈珀尼的双脚在地上滑动着,一脸不高兴的样子。

(32)"那你为什么决定要走呢?"贝茨盘问道。"我已经够了!"哈珀尼说,显得烦躁和不安,"我在这里工作够了。"

(33) 贝茨说:"你在这里工作 14 年了。你的工作从来都是第一流的,谁也无法对你或你的工作提出批评。如果你能保持这一记录,下半辈子将不用发愁。你真舍得抛弃一个既安全又有好处的工作吗?"

(34)"是的。"哈珀尼说。

贝茨靠在椅背上,若有所思地凝视着他:"知道我在想什么吗?我想你最好去找个医生看看。"

(35)"我不想去看。"哈珀尼说,"我用不着——我也不打算去看。"

(36)"他或许会诊断出你是由于工作过度而神经紧张。"贝茨劝说道,"然后你可以告长假,工资照发。到一个安静悠闲的地方去钓鱼,到适当的时候再回来。那时,你就会感到精力充沛了。"

(37)"我对钓鱼没有兴趣。我想到处走走,轻松一段时间,爱到哪里就到哪里,自由自在地走走。"哈珀尼说。

　　莱德勒皱皱眉头,插话说:"你是不是打算离开这个国家?"

(38)"目前没有这种打算。"

　　"从你的个人档案看,从来没有给你发过护照。"莱德勒继续说,"我最好先提醒你,你掌握的资料对敌人可能是有用的。政府对这一事实是不能置之不理的。"

(39)"你的意思是不是说,可能有人会说服我出售这些资料?"哈珀尼问道,脸色微微发红。"完全不是。"莱德勒坦然地说,"此时此刻,你的品德是无可指责的。谁也不怀疑你的忠诚。不过——"

(40)"不过什么?"

"情况是会变的。一个人漫无目的地到处游荡,最后一定会把积蓄花光的。那时候,观念就会开始转变。懂我的意思吗?"

(41)"等我完全作好准备后，我会在某一时候、某一地方找个工作的。"

"是这样吗?"贝茨插嘴说，讥讽地把眉毛一竖，"你走进去问那里的老板能不能用一个真空物理学家的时候,你想他会说些什么?"

(42)"我的资格并不妨碍我去洗碟子。"哈珀尼说。贝茨重重地叹了口气，然后发表意见说:"我将接受你的辞呈，我会把它交给总部的。如果他们决定在天亮时把你枪决,那也由他们去干。"

(43)等哈珀尼走出去后，莱德勒说道："你说到把他枪决时，我看他似乎变得有些紧张，或许他害怕什么来着。""幻想。"贝茨嘲笑地说，"刚才我也看着他，他看来完全正常。"

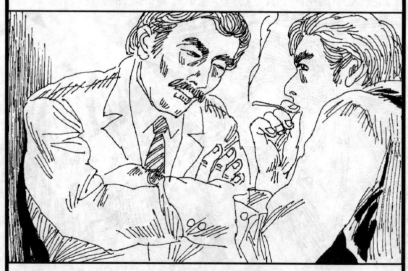

(44)莱德勒说："我们不得不对他进行监视，直到我们相信他不是在做危害我们的事情，而且也不打算做。必须派两个反间谍人员紧紧地跟着他。"

(45)有关哈珀尼的消息在厂里到处流传,但人们只是以随随便便的方式谈论着它。在餐厅里,理查德·布兰森,一位绿色区的冶金学家,向他的同事阿诺德·伯格提起了这件事。

(46)"阿诺德,哈珀尼是不是迟迟做不出成果而厌倦了?还是有人出了更多的钱?""不。"伯格说,"他说他讨厌那种严格的管制。他要轻松一会儿。这是吉卜赛人的性格在他体内作怪。"

(47)"奇怪，"布兰森若有所思地说,在我看来,他古板、稳健得就像一块石头。""到处游荡看来确实和他的性格不合。"伯格承认说,"不过你知道那句老话:会抓老鼠的猫不叫。"

(48)"他离开这里,不会使这个工厂垮掉。"伯格肯定地说,"不过,找一个专家来替代他是需要花费时间和精力的。""一点儿也不错!在我看来,最近需要花费这类时间和精力的次数似乎比以往来得多了。"

(49)"你这是什么意思?"伯格问道。

　　"我在这里已经 8 年了。以前的人员损失可以说是正常的。毕竟,职工到了 65 岁就会退休,即使有些人愿意继续工作下去,也总会得病或自然死去。"布兰森说。

(50) 布兰森继续说着,"何况还会有人被调到别处去担任更紧要的工作,等等,虽然有几个年轻人是死于意外事故,但总的来说,还算是合情合理的。"

(51)"可是这两年……"布兰森说,"却有不少人由于不那么正常的原因而消失了。例如麦克莱恩和辛普逊,他们到亚马逊河去度假,然后就消失得无影无踪了,到现在也没有任何线索。"

(52)"那是 18 个月以前的事了。"伯格补充说,"他们多半都死了。任何原因都可能:溺死、发烧、被蛇咬了,或是被水虎鱼活吞了。"

(53)"还有雅各伯特。娶了一个有钱的太太,她继承了一大群牛,分散在阿根廷各地。他到那里去帮她照料。他是一个出类拔萃的化学工程师,但他不会懂得哞哞的叫声倒底是从牛头还是牛尾发出的。"布兰森说。

(54)"还有亨德森,"布兰森继续说,"跟哈珀尼的情况一样,心血来潮地离开了这里。说有人见到他在西部经营一家五金店。""我还听说他被熟人见到后,马上就离开了。"伯格说。

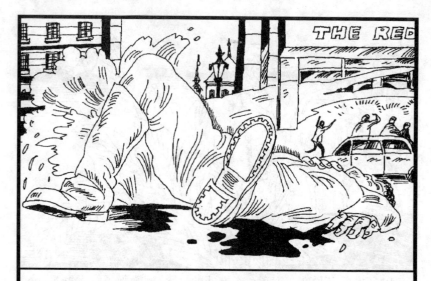

(55)"马勒,是被枪打死的。陪审团说是意外事故死亡,谣传又说他是自杀。但没有人知道马勒有什么理由要自杀,而且他也不是那种随便玩枪的人。"布兰森说。

(56)"你的意思是:他是被谋杀的?"伯格问道,竖起了眉毛。布兰森说:"我只是说他的死亡至少可以说是古怪的。几个月前阿凡尼恩的死亡也是如此:把车子开进了40英尺深的水里。

(57)"你倒是喜欢追根究底的。"伯格说,"你为什么不开业做私人侦探呢?"

"危险多而安全少,"布兰森笑了笑说,"该回去干那份讨厌的工作了。"

(58)这次谈话后,伯格一直沉默寡言,若有所思,不跟别人交谈。布兰森和他最接近,注意到了这一情况。但布兰森以为这种情绪低落只是暂时的。没想到,两个月以后,伯格也消失了。

(59)中午的时候,布兰森被叫到莱德勒的办公室里。莱德勒向他皱了皱眉,指指一张椅子。"坐下。你和阿德诺·伯格在一起工作,是吗?"布兰森答:"是的,是这样。"

(60)"你是不是和他的关系特别好?"

布兰森说:"我们在一起工作相处得很好。我了解他,他也了解我。我们俩都知道对方是可以信赖的。我们的关系就是这样。"

(61)莱德勒说:"他今天没有来报到,但他没有提出过离职申请。你能说出他为什么没来吗?"布兰森说:"很抱歉,我说不出来。昨天他没有表示今天可能不来。"

(62)他注视着布兰森,眼光中带着威严,然后结束了他的话:"如果他不再出现,而你又从什么地方听到了有关他的事,那你有责任立即通知我。"

(63)离开办公室后,布兰森回到了绿色区,头脑里想的全是有关伯格的事情。他想起了伯格在两个月前说过的一句古怪的话:"或许有一天我也会消失——成为一个出色的脱衣舞表演者。"这是什么意思?没法说清。

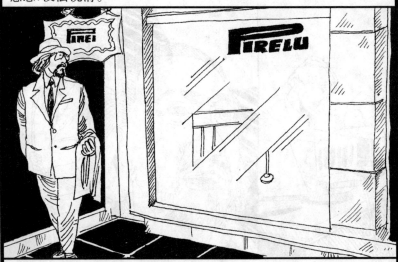

(64)"让它见鬼去吧!"布兰森自言自语地说,"我还有其他事情要操心呢。不管怎样,明天他肯定会出现,并且会给出一个合理的借口。"但是第二天伯格并没有出现,他永远地消失了。

(65)在以后的几个月里，又有三个高级职员相继离职了。其中一个人和伯格一样，显然是心血来潮，匆匆地赶到一个谁也不知道的地方去了。

(66)另外两个人虽然提出了正式的离职申请，借口却一点儿也经不起推敲。贝茨和莱德勒对此相当恼火，却也无能为力。

(67)然后轮到理查德·布兰森了。这一天是 13 日,星期五。突然间,好像整个世界都对他发出了攻击。

(68)本来,他的生活是程序化的。早上,照例乘 8:10 分的火车离开。同样的座位,同样的脸,同样打开报纸的窸窣声以及小声谈话的喃喃声。

(69)晚上,同样沿着两旁种着树木的林荫道回家;那头小狗同样会在门前的小路上围着他跳跃;多萝西被厨房里的高温烤得红彤彤的脸上会带着笑容欢迎他,而两个孩子也会挂在他的手腕上,要他旋转并发出狂欢的声音。

(70)现在却不同了。这些每天都会发生的事情,将要离他而去。布兰森的感觉差极了,他觉得这些东西都失去了实在性,变得朦朦胧胧,模糊不清。这种感觉是由一段对话引发的……

(71)今天,他像往常一样,在一个小站下了车,等着 12 分钟后再换上一辆联运火车,这辆火车将会把他送回家。按照长期养成的习惯,他准备去一家小餐馆喝杯咖啡,消磨掉等车的这段时间。

(72)就在这间小餐馆里,布兰森听到了改变他生活的那段对话。当时,有两个人坐在他旁边的座位上,他们一边慢慢地喝着咖啡,一边东拉西扯地谈着话。其中一个口音很怪,拖得长长的,也听不出是哪里人。

(73)"破案率只有 50%," 那个口音拖长的人说,"那怕谋杀案是昨天干的,警察侦破的可能性也不会超过一半。""很难讲啊,"另一个人说,"毕竟还是有 50%的破案率。"

(74)"嗯,你说的不错……"口音拖长的人说,"不过,他们认为这一案件至少是在 20 年前干的,这就使那个作案者的处境极为有利。"另一个人问:"你怎么会跟这案件有牵连呢?"

(75)"有一颗大树倒向了公路,角度很小,从那里经过的时候,我把车开得小心翼翼的,就这样,我的头还是情不自禁地低了一下,可见有多危险。后来我碰到了一辆警车,就把这情况告诉了他们,他们就火速赶去察看了。"

(76)"几天后,一个州警察找到了我,说那棵树已被推倒、锯开,并且拖走了。又说他们在树根底下找到了一些人骨,估计是女人的骨头,埋在那儿大约有20年了。他们正在等一位专家来检查这些骨头。"

(77)他把咖啡一饮而尽,对着墙壁皱皱眉头,然后把话说完,"他说脑壳被打坏了。然后他盯着我看,好像我就是他们在寻找的凶手。最后他又记下了我的地址,说以后说不定还会来找我。"

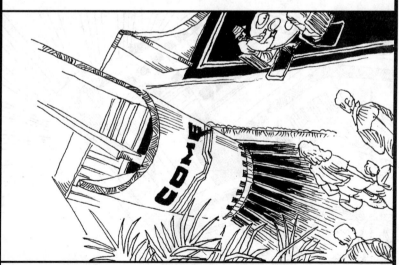

(78)"不过你拒绝告密?"另一个人问道。"我能告诉他什么呢?我不过是恰巧路过那里并把见到的情况反应给他们而已。好心关心一下公共利益,没想到却成了嫌疑犯!唉,下次去伯利斯顿的时候,说不定他们还会监视我呢!"

(79)伯利斯顿!坐在旁边的布兰森听了心里一震,杯子在他的手指间猛地一垂。他把杯子放下,搁在盘子里,然后悄悄地离开凳子,走了出去。

(80)布兰森出去的时候,那两个人没有理睬他。他慢慢地走着,感到双膝软绵绵的,一阵阵冷气迅速地顺着他的背脊往上升,头脑打着转。伯利斯顿!

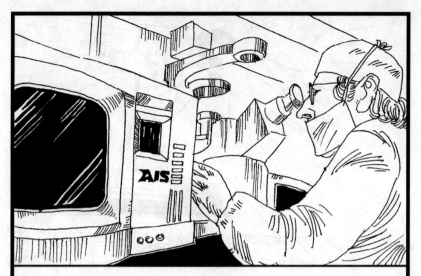

(81)他不停地喃喃自语着:"我是理查德·布兰森,一个十分称职的冶金学家,在政府部门工作。上级信任我,同事和邻居都同我和睦相处,妻子和孩子还有一只小狗都爱我。"

(82)"在我担任绝密工作前,我的背景被那些训练有素、工作绝对认真负责的人彻底调查过。我的档案是清白的,我过去的历史是纯洁无暇的。我没有干过不可告人的事。"

(83)"我是清白的……天哪,为什么死人又要从坟墓里站起来,不能让活着的人平静地生活下去呢?!"布兰森的脑袋都要炸开了。

(84)火车进站了,布兰森神色茫然,近乎条件反射似地走进了常去的那节车厢。他恍恍惚惚地东摸西摸,终于找到了自己的座位,坐了下来。连他自己也不知道在干些什么。

44

(85)"我为什么杀了阿琳?"布兰森痛苦地摇着头。车厢跟往常一样,坐得相当满,周围都是那些熟悉的面孔,他们和往常一样向他点头招呼,并准备像往常那样跟他闲聊。

(86)"今天情况很好。我们是该有几个高峰了,可以补偿——"坐在对面的法米洛很兴奋,但他马上住了口,探询地问:"你不舒服吗,布兰森?"

(87)"我?"布兰森明显地抽动了一下,"不,我很好。""你看来并不好,"法米洛告诉他,"你的脸白得像一张纸。"

(88) 法米洛用胳膊肘轻轻碰了碰坐在他旁边的康内利,"听到我刚才说了什么吗?我说布兰森的脸白得像一张纸。""看来是不太好。"康内利注视着布兰森,"可别病倒了。"

(89)"我很好。我没有什么不舒服。"他说出来的话仿佛用的是别人的声音。他仍在恍恍惚惚地想着:我为什么杀了阿琳?

(90)法米洛撇开了那个话题,重新哇啦哇啦地谈起生意的好坏来。他那双又大又白又有些突出的眼睛一动不动地凝视着布兰森,似乎在期待着布兰森有些什么反应。康内利也是,但不如法米洛那么明显。

(91)火车轰隆轰隆地行驶着,他们的谈话逐渐减少,三个人都不安地坐着,气氛颇为紧张。康内利和法米洛注视着布兰森,布兰森却眼珠一动也不动地坐着,似乎不知道他们在注意着他。

(92)忽然,法米洛拍拍布兰森的膝盖。"要么你搬了家,否则你到站了。""是吗?"布兰森似乎不太相信,他擦掉凝结在窗上的东西。"真的到了!"他抓起公文包,脸上强装出一副笑容,匆匆向出口处走去。

(93)"准是在做白日梦。"法米洛叽咕道。"说他在做梦魇或许更正确些。"康内利也嘀咕了一句。而布兰森根本就没听清他们在说些什么。

(94)布兰森站在月台上,看着火车离去。恐惧感一阵阵袭来:追捕已经开始了!作为被追捕的对象,布兰森知道,自己最终要面对的,很可能是大部分逃亡者通常会面对的"奖品":电椅。

(95)布兰森在一条林阴道上机械地走着。一扇扇灯光明亮的窗户在他眼前闪过,也无法让他心情好一些,过去他一直认为这种景象表示着生命的存在,但现在只是些灯光而已——因为他头脑里想到的都是死亡。

(96)骨头埋在一棵树的根下,这棵树本来可以再把骨头隐藏 100 年的。这个世界上有数不清的树,然而,偏偏就是这一棵倒下了!追捕也就开始了。

(97) 年轻的吉米·林斯特龙用绳子拖着他那辆刚刚涂过油漆的车，从布兰森身边走过，大声喊道："你好，布兰森先生！""你好！"布兰森回答，忘了加上"吉米"两字。他以机器人的步伐向前移动着。

(98)几个月前，在一次旅程中他曾看过一本杂志。里面讲述了一个警方怎样利用仅有的线索巧妙破案的故事。可怕的是，这是一个真实的故事。当时，一条狗在泥土里挖出一只仅剩下骨头的手，上面戴了一枚没有花纹的金戒指，其余就再没有什么了。

(99)从此,警方开始注意搜集各种有关的线索。几年后,所有这些线索就像一块块拼板一样被拼在了一起,一下子完整的画面呈现出来了——于是就有一个人因为 14 年前犯下的罪行而被送上了电椅。

伯利斯顿……

(100)布兰森绝望地感觉到,历史就要重演了!最初的线索已经出现,对于那些精通科学的侦探们来说,一个头骨足以判断出死者的性别、年龄、身高、体重,确定死因、案发时间……罗网已经开始编织,最终完成只是时间问题!

(101)布兰森一想到这些,脉搏就加速跳动。结局将如何?他将在哪里被抓?在工作地点?在家里?还是在上下班的路上?或许在家里,那是他不喜欢发生的地方。

(102)被危机刺激得兴奋的头脑,可以轻而易举地想象出这种情形:多萝西听到门铃后会去开门,让几个身体结实、面孔铁板的人进来,然后在其中一人开口的时候,睁大了眼睛。

53

(103)"理查德·布兰森吗?我们是警察。这是你的逮捕证——"多萝西发出一声尖叫;两个孩子大哭大闹,试图把他拉进屋内;小狗也相应地呜呜哀叫,想找个地方躲起来。

(104)想到这里,布兰森只觉得冷汗刷刷地冒了出来,虽然这是一个严寒的夜晚。他定了定神,才发现已经走过了自己家门50码。他重新走回到家门口,然后像醉汉那样摸索着钥匙。

(105)他一进屋子,两个孩子就跑过来,一边尖声喊叫,一边试图爬上他的胸前。每一声喊叫似乎都尖得刺耳,撕裂着他的神经。这种情况是他过去从未经历过的。

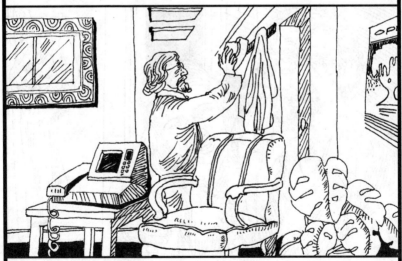

(106)小狗在他的两腿之间扭来摆去,把他绊了一下。他不得不花好大的劲儿才控制住自己,脸上装出一副笑容。他搔搔两颗头发凌乱的脑袋,轻轻地拍拍他们的面颊,小心翼翼地跨过小狗,然后把帽子和大衣挂在过道上。

(107)孩子们特有的洞察能力使他们意识到出了什么毛病,他们不再出声了。他假意做了一个高兴的动作,但并没有骗过他们。反过来,他们的态度也无助于使他的内心安静下来。

(108)多萝西的声音从厨房里传来:"是你吗,亲爱的?今天一天怎么样?""叫人烦恼。"他承认说。他穿过过道来到厨房,吻了她一下,当然又把内心的秘密暴露出来了。

(109)她退后一些,打量着他,新月似的眉毛弯成了结。"布兰森,情况严重吗?""没什么,"他说,"只是工作中的一两件事罢了。我得为这些问题拼命去干——这是我拿了工资该做的事。"

(110)"是吗?"她不大相信地说,"别累倒了,而且也不要带回家来。家庭就是让你避开那些事情的地方。""我知道。不过烦恼可不是那么容易就能排除掉的。或许有些人一走出实验室就能把它抛在脑后,但我不能。"

(111)"要不了几分钟晚饭就好了。""好吧,亲爱的。正好来得及去洗一洗。"走进浴室,他把上身衣服脱掉,然后擦洗身子,仿佛试图把精神上的黑影都清洗掉似的。

(112)洗完澡,他一面小心地打着领带,一面在镜子里打量着自己:瘦瘦的,苦行者似的外貌,薄薄的嘴唇,浅黑的眼睛,黑黑的眉毛和头发,显得年轻而又整洁。

(113)这并不像是张杀人者的脸,太书生气。但想象一下双眼紧张地看着警察的摄影机,下面再挂一块身份号码牌时的样子吧,任何人在这种情况下拍摄的照片都会像死囚牢房的合适候选人,特别是经过长长一个晚上的集中审问后。

(114)"晚饭好啦!"萝西说。"来了!"他大声说。他其实不想吃什么晚饭,但又不得不做出一些胃口很好的样子。头脑里充满的惊慌使他感到恶心。面对可能的结局,谁也吃不了那么多。

(115)上午9点他通过保安警卫,像往常一样相继在三重门前忍受着令人厌烦的等待。从理论上说,在他每次进出的时候警卫都应该仔细检查他的正式通行证,尽管他们已认识他好几年。

(116)走进大门后,他把大衣和帽子放在一只金属柜里,披上一件深绿色的,上面别着一块号码牌和辐射片的罩衫,穿过一系列走廊,再通过几个警卫,然后穿过一道涂了绿漆的门。

(117)凯恩和波特已经在那里了,他们两个也都穿着绿色的罩衫。小屋中央放着一样东西,他们正在讨论有关这件东西的某一问题,铅笔指着散放在工作台上的图样。

(118)他们讨论的对象是一个全自动高射炮的实验模型。由于使用了一种新的液体炸药,它的威力特别可怕。这种液体炸药可以用泵抽吸,可以汽化,可以喷射,也可以电动发射。

(119)他们作了无数次修改,结果仅获得 4 秒钟的有效发射时间。基本概念是第一流的,但在真正的实践中,毛病却比任何东西都要多。

(120)目前他们正在试图解决发射速度的问题,但已到了束手无策的地步。当然这一问题并非绝对无望解决,他们还可以设计一种能连续发射的多炮管高射炮来替代。

(121)凯恩停止了和波特的谈话,转过身子对布兰森说:"这儿又有一个受到挫折的天才。肯定需要你出马了。""是什么?"布兰森问道。

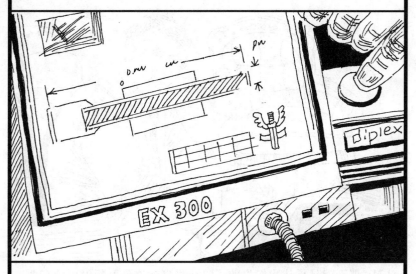

(122)"炮管内壁的衬层或炮弹必须用摩擦力较小的合金来制造。"凯恩回答说,"你是冶金方面的专家,发明这种合金是你份内的工作。因此开始干吧。"

(123)"如果希尔德曼的部门能使炮弹不摇晃，"波特指指那门炮，"导弹就会自动推进，我们所要建造的将只是一个十分巨大的火箭筒。那这门破烂炮就可以扔到河里去了。"

(124)"那不就是承认我们失败了吗？我喜欢这个丑陋没用的东西，是我帮着一起建成的。它是我的生命，它是我的爱情。"凯恩试图在布兰森那儿得到情感上的支持，"你会不会仅仅由于你心爱的东西给你添麻烦就把它毁灭？"

(125)布兰森却径自走开了。凯恩转向波特,用感到意外的声调说,"我说错什么啦?真见鬼!我过去从来没有见过他这种神气。我到底怎么得罪他了?"

(126)"让他见鬼去吧!"波特不耐烦地说,"或许他要解决自己的问题。我们还是自己设法解决这个难题吧。"他们来到工作台上的图样前,重新考虑起来。

(127)这真是糟糕的一天,也是布兰森所能记得的最倒霉的一天,一切都好像出了毛病,什么事都不顺手。他一直在小心提防、驱除恐惧,试图集中注意力,却怎么也无法成功。

(128) 自从听到那两个卡车驾驶员关于伯利斯顿案件的谈话后,他的神经便几乎一直处于极度紧张的状态。

(129)或许他们说的那棵树不一定就是他的那棵树,而那些骨头也不一定就是他杀死的那个人的?说不定这是另外的案件,警察们正在全力追击、搜捕的目标并不是自己呢,布兰森想。

(130)但当他在转角处拐了个弯,看到一个警察站在那里时,所有这些侥幸的想法都无影无踪了。他竭力地装出一副随随便便、漠不关心的样子,甚至还吹起了口哨,来掩饰心中的紧张。

(131)警察盯着他,双眼在帽舌下的阴影处闪闪发光。布兰森尽量迈着安稳的步子向前走去,只觉得后颈火辣辣的,好像警察的目光正跟随着他似的。

(132)布兰森神经绷得紧紧的,他知道,这时警察只要大叫一声"嗨,你!"自己绝对会拔脚就跑。

(133)当然,喊叫声并没有响起。来到下一个转角时,布兰森忍不住小心翼翼地回头看了一眼,那个警察还在那里凝视着。拐弯后,布兰森停住身子,数到十,然后再往后面看了看,警察还是没动。

(134)布兰森出了一身汗,这时才如释重负。到了车站,他买了一份晚报,匆匆浏览了一下,并没有与他有重要关系的消息。布兰森并没有放心下来,因为他认为,警方只是在适当时,才会向记者发表声明。

(135)他要乘坐的那列火车轰隆轰隆地进了站,并把他带到了他要换车的车站。布兰森走到那间他常去的小餐馆里。

(136)布兰森要了杯清咖啡。他朝四周看看,注意到有一个身材高大、面无表情的人端着咖啡,正带着浓厚的兴趣通过墙上的那面镜子观察着他。

(137)布兰森心里一惊,急忙把眼光移开。过了一分钟,他又偷偷看了一下镜子,那人仍在打量着他,而且并不试图隐瞒这一事实。那神气十分傲慢,好像要向布兰森挑战似的。

(138)一个铁路工人走进来,买了两份包装的三明治,然后拿着出去了。那大个儿仍然纹丝不动地坐在凳子上,用好奇的眼光对着镜子。布兰森每一次看镜子,都会和那个人的目光相遇。

(139)一个人太有规律地出现在一个地方,就会很容易地被追捕者找到的,布兰森想。他决定要打破常规,躲开这家小餐馆。

(140)他侧着身子离开凳子,向门口走去。那个大个儿也转过身子,慢吞吞地站起来,全神贯注地看着他。从他的姿态来看,他似乎只是为了好玩才让布兰森先走一步的。

(141)越是不正常越要表现得正常,越是心虚越要表现得理直气壮,布兰森认为这才是正确的掩护策略。因此,在走出小餐馆的时候,他迫使自己瞪了那个大个儿一眼。

(142)火车来了。他习惯地登上车,但他很快又下了车——他意识到不能再坐平常固定的位置。他想了想,决定上最后一节车厢,从那里可以把车站入口处的情况尽收眼底。

(143)从报纸的顶端,布兰森紧张不安地观察看。那个大个儿出现了,并登上了靠近前面的一节车厢。那就是布兰森常坐的那节车厢!

(144)是纯粹的巧合?还是那大个儿摸清了布兰森的规律,而他正要利用这规律来抓捕布兰森呢?如果是后一种情况,那么当他发现布兰森不在那节车厢里时,肯定会采取别的行动的。那他会采取什么行动呢?

(145)汽笛声响起来,火车稍微震动了一下,车轮开始滚动,接着速度逐渐加快,迅速往前驶去。没有迹象表明那大个儿下了车,显然他仍在车上。

(146)说不定他已经开始跟康内利和法米洛聊起天来了。这种人通常都会很狡猾,他会在不使对方起疑的情况下,巧妙地引导着谈话按他需要的方式进行,从而得到有用的信息。

(147)或许他已获悉:最近一阵布兰森工作的时候老是心事重重,局促不安,而且他第一次晚上没有和他俩一起乘车,昨天晚上他的态度不同寻常,等等,等等。

(148)被追捕的人真是进退两难呀!布兰森不安地发现,如果按照常规办事,他就会被跟踪追击;而一旦跳出常规,他立即就会引人注意。

(149)"为什么要煞费苦心地躲开我们?"也许,他们这样提问,"只有心里有鬼的人才会这样。"然后他们就会这样开始:"你为什么杀了阿琳?"

660
JW

STATION

(150)布兰森被这些想象出来的情景折磨得神情恍惚,火车进站时,他正全神贯注地思索着被他杀害的人姓什么呢。他机械地下了车,完全忘记了去寻找那个大个儿。

(151)"那个女人姓什么?"布兰森苦苦思索着。他当然应该知道那个被他埋葬的女人的身份,可是事情发生后,他就拼命地想把它从记忆中抹去,把它当成一个噩梦,一件从未发生过的事。如今,那个女人姓什么他都记不得了。

(152)布兰森穿过出口处,稳步地沿着邻近的那条路走着。突然,那个大个儿的巨大身形出现了。布兰森心里一惊,有关那个女人姓什么的问题迅速地从他的头脑中溜掉了。

(153)那个人就在他身后不远处不慌不忙地走着,布兰森感到冷嗖嗖的。他在街角处拐弯,那个人也拐弯;他穿过街道,那个人也穿过街道;他来到他回家应走的那条路上,那个大个儿也跟了过来。

(154)那个大个儿是知道了他的地址呢,还是在跟踪他以便找到他的地址?如果是第一种情况,布兰森不妨大胆地走回自己的家里;如果是后一种情况,这样做将会向对方提供他所需要的情况。

(155)布兰森决定先摆脱掉那个大个儿。当他径直走过家门的时候,心里拼命祷告着,两个孩子千万不要这时跑出来接他,那样就露馅了。但他从来就没有想过:那个人为什么会这么粗枝大叶地盯他的梢?

(156)一路上并没有碰到熟悉的人,布兰森暗自庆幸自己的策略还不会被拆穿。突然年轻的吉米·林斯特龙在顶端的转角处走了过来。布兰森立刻在一条小路处拐弯避开了他。沉重的脚步声还在跟随着他。

(157)街道的另一端,一个警察懒洋洋地靠在街灯下。布兰森犹豫了一下,然后加快步子来到他面前,"一个大个儿跟了我有一刻多钟了。我感到讨厌。或许他看中了我的皮夹。"

(158)"哪个家伙?"警察问着,顺着街道仔细地看了看。布兰森回过头来,那大个儿已不见了。"他就在我后面,一直跟到前一个转角处。我听到他拐弯的。"

(159)警察建议说:"我们到那儿去看看。"他陪着布兰森来到转角处,没有那个盯梢人的踪影。"你肯定不是在胡乱猜想吗?""完全肯定。"布兰森说。

(160)"也许他也住在这里吧?他跟着你只是因为和你同路而已。"警察说。布兰森说:"有可能。不过这里的人我多半都认识。而他完全是一个陌生人。"

(161)"那有什么!"警察嘲笑地说,"人总会来来去去。如果我每看到一张新面孔都要紧张不安,那我的头发早就全白了。"

(162)他好奇地打量着布兰森,"你住在哪里?""就在那里。"布兰森指着说,然后走开了。

(163)或许那只是个刚到这里的无辜的人吧?布兰森边想边往家里走去。但是,如果他真是一个盯梢者呢?那么刚才可能是因为警察的缘故他才变得谨慎一些,说不定,现在他还在什么地方监视着自己呢……

几月…几年…

(164)那些被通缉的人,能够在几个月甚至几年的时间里长期忍受这种折磨,布兰森觉得有点不可思议,他觉得自己马上就要崩溃了。

(165)"怎么啦,里奇?你的脸又红又热。今天这么凉快,不该这样啊。"妻子多萝西看着刚进门的布兰森,关心地说。他吻了她一下,"我急着赶回来哪。我不知道为什么,只是觉得想走快一些。"

(166)"急着赶回来?"她困惑地皱皱眉头,然后看了看钟,"可你比平时还迟了六七分钟。是不是火车误点了?"现在他正面临着要不要欺骗自己妻子的考验。他不愿欺骗她——或者说目前还不愿。

(167)"不,亲爱的,我跟一个警察说了几句话,浪费了一点时间。"
"是吗,那也用不着像发疯似地奔回来啊。"她用细长的手摸摸他的
面颊。

(168)在卫生间里,布兰森苦苦思索着目前的境况。过去的事是无法
更改的了,关键是要怎样面对。即使自己能够长期逍遥法外,这种
一天接一天的焦虑与不安也无法让人忍受下去。但应该怎样面对?
布兰森也不知道。

(169) 吃晚饭的时候，大家都默不作声——这在过去是很少发生的——连小狗都闷闷不乐。屋子里笼罩着一种阴影，谁都能意识到，但谁也看不见。

(170)上床后，多萝西辗转不安地躺了大半个小时，终于忍不住悄悄地问："里奇，你醒着吗?"他答："醒着。"他知道，如果他假装睡着，那是骗不了她的。

(171)"休息一个星期不工作怎么样?""我的假期还没到呢。""你不能要求他们先给你一星期假期吗?你需要休息,那对你会有好处。"

(172)"你听着——"他刚要发火,突然想起了一个主意,就把怒火压下去,结束了他的话,"明天看看情况再说。现在睡吧,好不好?已经够晚的了。"她伸过手去,轻轻拍拍他的手。

(173) 吃早饭的时候，她又提起这个话题："抓紧休息一段时间，里奇。别人在感到不舒服的时候是经常这样做的,你为什么不呢？""可我没有不舒服啊！"说完,他就走了。

(174)他又忍了四天,尽量躲开那些好奇的和爱发牢骚的人,每天和多萝西进行拖延战。第一天黄昏,那个大个儿又跟踪他回家。另外三天,他改了路线,才摆脱了那个不受欢迎的跟踪者。

(175)工作情况有点儿糟糕,连续出现了一些小错误,有些同事开始以轻蔑的眼光看待他。有几个人竟然带着不同寻常的担心态度同他说话,好像他是一个病人或即将患病的人。

(176)第四天是最糟糕的一天。一个名叫里尔登的家伙出现在工厂里。布兰森的异乎寻常的敏感告诉他,那个新来的人是在监视他,尽管他没有公开那样做。

(177)这使他内心十分不安,中午休息时他忍不住向波特谈起了这件事。"那个里尔登是什么人?他好像不用做工作就能活下去。"

(178)"我想是某种调查员吧。""是吗?那他在调查什么呢?""谁知道呢?"波特不太在乎地说,"反正他不是我们区的人。他只在一年半前出现过一次。"

(179)"有这种什么爱打听的人盯着我们,会让人坐立不安的。"布兰森说。"我可不在乎,"波特说,"我又没有做过亏心事。"布兰森狠狠地瞪了他一眼,抿紧了嘴唇,谈话就到此结束。

(180)布兰森觉得再也忍受不了这样的日子了:里尔登的目光老是在他周围;连波特说话都有点儿阴阳怪气;回家的时候又要躲避那个大个儿;还要想着怎样面对多萝西。他终于下了决心:是该休息一阵子了。

92

(181)下班后,他径直走进了人事部门,找到马卡姆说:"我不愿意没有事先通知就来见你,可我想休息一星期,不领工资,从明天开始。""为什么要不领工资?"

(182)"我不想用去假期的时间。"马卡姆流露出同情的神色:"是家里出了事吗?孩子病了还是怎么的?"

(183)"不,不是那种事。"他拼命思索,想找出一个听来有理的借口。"是跟亲戚有些麻烦。我想出一次远门去把问题解决掉。""这样做可不合规定啊。"马卡姆说。

(184)"我知道。要不是情况紧急,我是不会提出来的。"布兰森说。"我肯定你不到万不得已也不会这样的。"马卡姆沉思了一会儿,拿起电话,接到凯恩那里,和他简短地谈了谈。

(185)然后他对布森说:"凯恩没有意见,那就是说,莱德勒也不会有意见了。我这里没有问题。你一周后来上班,是吗?""是的。"

(186)布兰森走出去,正巧这时候里尔登走进来。他走过窗口的时候,斜眼看了一下,见到里尔登正在和马卡姆谈话。他不由得加快了步子。

(187)一个碰巧和他同路的熟人用车把他带了大半段路。这次布兰森很轻易地躲开了那大个儿准时回到家里。或许运气就要好转了，布兰森想。现在，只要事情不变得更糟，他就能好好地思考思考。

(188)家里人看到他的精神略有振作，都欣然作出反应。这表明他的忧郁心情肯定已使他们受了很大的影响!两个孩子高兴地喊叫，小狗在地毯上打转，多萝西微笑着在厨房里忙得团团转。

(189)"我要出门啦,宝贝!"她停下来,手里拿着平底锅:"你意思是说你接受了我的建议,要去度假了?"

(190)"当然不是。我要去出差,就一个星期。这将大大地改换一下环境,还可以休息一段时间。"

(191)"我很高兴听到你这个消息。你需要的正是这个。"她放下平底锅,用盖子盖上。"他们派你到哪里去,亲爱的?"哪里?到现在为止他还没有想到过这一点,甚至没有想到作一个随便的回答。

(192)她在等待他的回答,并且意识到了他是在拖延。"伯利斯顿。"他说,有点儿不顾一切了,他不知道为什么要说那个地方,那个可怕的名字是主动从他嘴里跳出来的。

(193)"它在哪里?"。"那是一个小地方,在中西部。"他赶紧说下去,不让她再提出更多的问题,"只去三四天。我打算坐火车去,那样可以懒洋洋地靠在椅子上,好好欣赏一下景色。"

(194)她继续做厨房里的活儿,情绪显然好转了。"你要充分利用去伯利斯顿的这次旅行,里奇。好好地吃,好好地睡,什么也不要担心。等你回来时,你就会非常健康了。"

(195)"是的,医生。"他尽量显得轻松一点儿,俏皮一点儿。但回来又怎么样呢?他只能回到那条危险的路子上去。显然,想跳出那条路子只是浪费时间,除非他能一直呆在外面。

(196)他只带了一个手提箱,轻装出门。多萝西含笑和他告别,并准备送孩子去上学。两个孩子在草地上蹦蹦跳跳,挥手送他远去。

(197)如果自己在以后的几天里被抓起来,这可能是最后一次见到他们那样高兴了,布兰森突然想,同时心里不免有些恐慌。他从车子的后窗向后凝视着,痴情地看着他们,直到车子拐弯,切断了他的视线。

(198)车子在银行门口停了一会儿,他取出了一笔不很大的款子。多取一些对他会更方便些,但如果他们不能早日团聚,那多萝西将要更艰苦些。他不得不在自己的需要和她将来的需要之间定出一个折衷办法。

(199)从银行里出来,他就乘车到了车站。他小心翼翼地向四周看了一下,没有一张熟悉的脸,对此他感到十分欣慰。

(200)很快,布兰森来到了一个小镇,路上没有发生不愉快的事情。此时,他就像一粒沙子失落在一卡车黄沙里那样消失在匆忙赶路的人群中。他,没有别的计划,只想摆脱所有的跟踪者,以便想出一个方法来处理这件棘手的事情。

(201)他漫无目的地沿着拥挤的人行道沉重地走着,突然发现自己已经来到了主线车站。这时候,他才知道,是他头脑中某一独立的和未受妨碍的部分指引他来到那里的,而且是一开始就把他的路线决定好了的。

(202)他决定听从内心发出的命令。他来到售票处,然后睁大眼睛看看那个售票员。他知道,现在他必须说出他的目的地了。唉,要是能买一张到某一个安全的、不受法律管辖的地方去的票子就好了。

(203)他的嘴已经张开,就要说出那个词了——就是多萝西要他回答时他不加思索地说出来的那个词。但是最后时刻,他又把它咽了回去。

(204)他头脑中醒着的那一部分,把这个词扣了下来,它争辩说:如果他们来寻找你,他们就会追踪你到镇上,然后在火车站和公共汽车站搜索,看有谁记得起他们想知道的事情。

104

(205)最后,布兰森买了一张去一座大城市的车票,那座城市离伯利斯顿还有四分之一的路程。他把车票放在口袋里,拎起手提箱,转过身来,差点跟一个又高又瘦、留平头、目光锐利的人撞个满怀。天哪!这人竟然是里尔登!

休息......

WAY

(206)"啊,布兰森先生,"里尔登愉快地说,并没有显出感到意外的神气,"休息几天吗?""是官方批准的,"布兰森说,尽量控制着自己,"过一段时间,人总得休息一会儿。"

(207)"当然要休息的啰!"里尔登说。他饶有兴趣地瞧着布兰森的手提箱,那神气仿佛是他不论盯着什么东西看都能一眼看到它的内部。"祝你过得愉快。"

(208)"我是想过得愉快些。"布兰森突然觉得有点儿恼火,忍不住反问道,"那么你在这儿干什么呢?""跟你一样,"里尔登脸上似笑非笑地动了一下,"我也出门,我们不会碰巧同路吧?"

106

(209)"天晓得!"布兰森的语气有点生硬,但马上想到应该试探一下他,就说,"我又不知道你去哪里。""啊,那有什么关系呢?"里尔登却不上钩。他看了一下墙上的钟,侧身向售票处走去,"得抓紧时间了。有机会再见。"

(210)"……"因为没有摆脱掉里尔登,布兰森感到很不愉快,自己也不知道支吾了些什么。在这里遇见那个家伙似乎不大可能是巧合。穿过栅栏的时候他迅速向四周看了一眼,没有里尔登的踪影。

(211)在等车的十几分钟里,布兰森忧心忡忡地不断望着窗外。火车终于开出了,没有任何迹象表明里尔登赶上了这列车。

(212)一路无事,布兰森顺利地到达了那座城市。他故意在市里随意地走来走去,不时地往身后偷偷地张望,没有发现任何跟踪者。他吃了一顿饭,又闲荡了一会儿,然后回到车站。

(213)他来到售票处,说道:"我要到伯利斯顿去。""火车不去那个地方。"售票员回答说,"最靠近的车站是汉伯雷,离那里有 24 英里。有公共汽车可以把你带到那里。"

(214)"好吧,就要到汉伯雷的票子。下一班车什么时候开?""你真走运,两分钟后就开。你最好抓紧些。"

(215)布兰森抓起票子,飞快地上了车,他还没有在位置上坐定,火车就开动了。这使他非常满意,跟踪者肯定被甩掉了,如果确实有人在追踪他的话。

(216)布兰森这时才绝望地发现,自己已被那可怕的往事不可救药地控制住了,无论到了多么陌生的地方,都无法摆脱被怀疑、被监视、被盯梢的感觉。

(217)而一旦头脑里不再紧张地想到当前的危险时,那个问题就会固执地冒出来:我为什么杀死了阿琳?一些以前他拼命想忘掉的细节就会清晰地显现出来,让他感到阵阵恶心。

(218)现在他想起来她姓什么了,阿琳·拉法奇。不错,那是她的姓名。有一次她跟他解释过,拉法奇是一种古老的姓,是法国世系的标志。

(219)她黑头发,黑眼睛,身材非常好,对此,她非常清楚,也不遗余力地展示这一点。十足地工于心计和十足地冷酷无情,就像一个打扮成年轻人的老巫婆。

(220)那时他还不到20岁,也不知道为什么会那么傻,几乎像被施过催眠术似地被她控制着。一旦他有了被利用的价值,她就会毫不迟疑地利用,对此,她竟然一点都不隐讳。

(221)她在等着他大学毕业,找到工作,并开始挣大钱,然后供她挥霍;而他也心甘情愿地做着她的爱情奴隶,奴颜婢膝地听从她的指挥,等候和渴望最终能享受她。

(222)隔一段时间,她就要让他保证服从她的控制一次,而他则心甘情愿地向她保证。没办法,虽然他忍不住要憎恨她,但他更需要她。

(223)她像一个残忍的垂钓者,老是把诱饵挂在那条可怜的鱼儿正巧够不到的地方,然后幸灾乐祸地注视着他,任意侮辱他,只有这样她才能确信他全身心地属于她。终于,20年前,在伯利斯顿,布兰森爆发了。

(224)那个时候他脾气正坏,对她的憎恨也逐渐膨胀到了极限,她却仍然要肆意地侮辱他。因此,他打碎了她的脑壳。然后把她埋在一棵树下。

(225)当时的一切如今仍历历在目:她在他一记猛击下倒下去时,脸灰白灰白,血从变了形的身体上静静流出来,形成一条细流。

(226)他依旧能清清楚楚地记得当时他怎样神经错乱似地猛力打击她,然后发狂似的拼命挖洞,以便把她的尸体藏起来,边挖边紧张地注意着荒凉的路上有没有人经过。

（227）他可以瞧见自己把挖出来的最后一块草皮小心翼翼地放回那棵树的根基，然后把草皮踩结实，遮住了一切翻动过的痕迹。

（228）为了让自己忘记这段往事，布兰森进行了长时间的心理训练。通过训练，他几乎确信自己未曾做过这件事，阿琳·拉法奇从未存在过，他这一辈子也从未去过伯利斯顿。

（229）这种心理训练非常有效，他几乎已经抹去了这段罪恶的回忆。今天,他虽然能非常清晰地回想起犯罪的过程,但罪行发生前后的情况则完全是一片模糊，所以他费了相当长的时间才记起阿琳的姓是拉法奇。

（230）伯利斯顿是什么样子他已记不起来了,而且,直到此时此刻,他还是搞不明白:为什么阿琳要他去伯利斯顿?

(231)更重要的是,他无论如何也记不起阿琳究竟是凭什么控制他的。显然,他是应该记得起的,因为他所犯罪行的基本动机就在其中。但他就是记不起来。

(232)布兰森做事从来不会比一般年轻人更傻更冲动,肯定有一种超乎寻常的理由会使他把阿琳干掉。或许他做了一件一旦被发觉就会身败名裂的事情,恰巧被阿琳发现,而阿琳想以此来控制他。

(233)那是件什么事呢？盗窃？武装抢劫？贪污或是造假？他把从孩提时代起到20岁生活中的细节都仔细检查了一遍，并没有一件足以使他被一个工于心计的女人摆布的事情。

(234)他疲倦地擦了擦脑门,知道神经过分紧张会使头脑无法进行合理思考。他想,与他一起工作的那些头脑灵活的人,会不会也有人被这种精神变态折磨过？

(235)在汉伯雷的一家小旅馆里,布兰森翻来覆去了一夜,根本睡不稳。吃早餐时他感到眼皮沉重。去伯利斯顿的第一班公共汽车9点30分开出。他赶上了这班车,却把手提箱留在了旅馆里。

(236)公共汽车在10点15分把他带到那里。他下了车,在大街四周打量了一下,一点儿也认不出来。20年了,一个市镇可以发展成一个城市的。

(237)根据他来之前的判断,伯利斯顿现在应该是一个小乡镇,人口不过数千,但实际上比他预想的要大一些。他很奇怪自己会这样认为,莫非有些什么理由或记忆还停留在他潜意识中?

(238)他在街上站了一会儿,无法确定下一步该做什么。他不明白,自己竟然会来到这里逃避内心的恐惧,他只是听从了一种似乎是莫名其妙的直觉的安排。

COUNTRY

(239)在他的记忆中,只有一段农村道路、一棵树,就是在这棵树的根子底下,他挖了一个坑道,把她推了进去。她的鞋子露在了外面,他用泥土把它们遮起来,然后重新把草皮铺好。

(240)它应该是在伯利斯顿镇外,但,是在郊区的 1 英里外?还是 5 英里、10 英里外?在哪个方向?他不知道。在这条街上没有任何熟悉的指示物,没有任何东西可以为他提供一点儿线索。

(241)他租了一辆出租汽车,告诉驾驶员说,他是一家公司的经理,打算在这座城镇的郊外寻找一个适宜于建造小型工厂的厂址。这是他挖空心思想出来的方法,可以避开好事者的疑问。

(242)布兰森把身子缩在后坐,这样从车外不容易看见他。其实他的担心是多余的,那个司机乐得赚钱,开着车在伯利斯顿周围10英里内的所有道路上一条不漏地兜了一圈。

(243)司机又兜回到出发的地点,把车停下,布兰森下车张望了一阵,一无所获。他告诉司机说,他想起有人告诉他,那条路的两旁都种了树,每两棵树中间的间距都相等,并问司机知道不知道这样一条路。

(244)"不,先生。这个镇上的每一条路你都走过了,没有别的路了。我不知道在汉伯雷是不是有这样的路,如果你愿意,我可以带你到那里去。"

(245)"不,谢谢。"布兰森赶忙说,"那人说确实是在伯利斯顿。""那准弄错了。"驾驶员肯定地说,"自作聪明的人是常常会弄错的。"布兰森只和作罢。

(246)他心烦意乱地在伯利斯顿的主要街道上来回走了几英里,浏览着一家家商场、餐馆和加油站,希望能借此勾起自己的回忆,从中获取点儿线索。但一切都是徒劳的,伯利斯顿仍像一个他从未到过的地方,完完全全是陌生的。

(247)"是伯利斯顿。"他的头脑说的是一回事,而他的眼睛看的却是另一回事。他的头脑宣布说:"这里就是你来杀阿琳的地方。"他的眼睛反驳说:"你连这地方和塞林加帕坦有什么不同都不知道。"

(248)更糟的是他的头脑似乎也分裂成了两个相互对立的部分。一部分幸灾乐祸地说:"注意!警方正在搜寻证据。注意!"另一部分则反击说:"去他妈的警方,你得自己证明这一点。这才是至关重要的。"

126

(249)精神分裂症!这是他的自我诊断。这种精神状态能说明一切问题。他生活在,而且多年来一直生活在两个隔开的世界里:别让你的右手知道你的左手在做什么;不要要求科学家布兰森为杀人犯布兰森提供解释。

(250)布兰森眼前一亮,这或许可以成为他唯一的生路:人们不会处死患有躁狂症的人的,他们会把他永远关起来,关在精神病院里。唉!布兰森又垂头丧气了,那样还不如死了的好!

(251)一个挺着大肚子的人站在一家低级服装店门口,看到他来来回回地走过六七次后,就开口问他:"找人吗,陌生人?"

(252)布兰森答:"有人要我选择一个建造工厂的地点。我一直在寻找它,可哪里也找不到。向我提供信息的人肯定是由于某种原因搞错了。"

(253)他忽然想起当地的报纸应该能够提供些情况的,而且也不会引人注意。他简直想踢自己一下,为什么早没想到呢。这真是外行犯罪者才会有的疏忽。

(254)附近一条长凳上坐着一个长着络腮胡子的上了年纪的人。布兰森问他:"报社在哪里?""我们这里没有报社,先生。我们看汉伯雷报,每星期五出版。"

(255)到达汉伯雷的时候,布兰森已经不再那么忐忑不安了,他尽量说服自己:无根据的预测和最终的结果可能是完全不同的两回事。未来是由上帝掌握着的。

(256)在离旅馆不远的地方,布兰森找到了汉伯雷报社。他走进去,对柜台后面一个瘦削、脸色有点儿灰黄的年轻人说:"过期的报纸卖吗?"年轻人说:"有的。你要多少?"

(257)布兰森要了最近的 12 份报纸。回到旅馆,他锁上房门,在靠窗口的桌子上把一捆报纸打开,开始逐页逐栏地仔细查阅每份报纸,什么都不漏掉。

呜!呜!

(258)这是前三个月的报纸,上面登载了这段时间汉伯雷发生的一起火灾,两三次抢劫和几起汽车偷窃案,还有 40 英里外发生的一起惊人的枪杀事件。伯利斯顿似乎并没有发生过什么不寻常的事。

(259) 或许那个卡车驾驶员听到的只是发生在其他地方的一件相似的案件？布兰森一想到压在自己身上的犯罪担子可能会卸掉而由另一个人承担时，心里就有了一丝轻松的感觉。

(260)也有可能是那个卡车驾驶员讲的事已经发生好久了,而他却津津有味地当作新闻来讲。一想到这种可能,布兰森就又有点儿紧张了。

（261）布兰森把那些没用的报纸都扔进了废纸篓，然后打开手提箱，好像什么有点儿不一样!他怀疑地打量着里面，莫非有人打开过它？但他又不能绝对肯定，因为里面的东西一件没少，而且是原封没动，依旧摆得整整齐齐。

（262）他还是放心不下。或许是有专业人员对手提箱作了迅速而熟练的检查？那他们在找什么?在布兰森看来，答案只有一个：能证明他有罪的证据。

(263)一个小偷是不会费心把里面的东西整整齐齐地放回原处,并锁上手提箱的。只有政府的搜查人员才会尽力遮盖搜查行为。布兰森作着推测。

(264)他仔细检查了箱子上的几把锁,都没有凿过或用力撬过的痕迹,开起来也很方便,会不会是自己弄错了?或许上次开过后自己无意间把手提箱碰撞了一下,把它摇松了?

(265)他开始在房间里找来找去,看有没有烟蒂或其他能表明有人闯进来过的线索。什么都没有。唯一可疑的是他的一条备用领带,他记得应该是从左向右折的,而不是从右向左。

(266)他又走到窗口,把身子遮住半边往下看,看有没有迹象表示这家旅馆正被监视着。也没有。过路的人很多,但根据他的观察,在20分钟内没有同一个人在旅馆门前走过两次。

(267) 当然啰,政府派来监视这个地方的人不一定在外面,完全有可能就在这个旅馆里。他可能现在就在走廊里闲荡,摆出一副在等人的神气,也可能就在柜台后面,装成一个临时加班的接待员。

(268) 布兰森到楼下看了看,在休息处只见到两个上了年纪的女士,正在聊着天。他无法想象其中的一个人正在紧紧地追踪一个杀人犯。

136

(269)在柜台值班的接待员是一个瘦骨嶙峋的小个子,瘦小得可以塞在警察制服的一个裤管里。布兰森走到他面前,问:"我不在的时候有人来找过我吗?"他答:"没有,布兰森先生。"

(270)布兰森低下头来,感到很不自在,头脑里乱糟糟的。旅馆登记簿完全翻开着,他心不在焉地注视着,突然,一个让他心惊肉跳的名字出现了:约瑟夫·里尔登,13 号房间。"谢谢!"布兰森对侍者说,然后噔噔噔上楼了。

(271)布兰森坐在床上,把手指绞在一起,又放开,心里在试着估计这世界上可能有多少个姓里尔登的人。厂里那个身材过份瘦长、眼睛圆圆的窥探者是叫约瑟夫吗?说不定他叫达德利或莫蒂默呢?

(272)尽管如此,这总是一种令人不愉快的巧合。有一小会儿,他都准备到附近一家旅馆去过夜了。不过,汉伯雷只有两家旅馆,现在再去另一家寻找住宿的地方可能有点儿太晚了。

(273)还有一个办法。他可以大胆地去敲 13 号房间的门,并面对这个里尔登。如果那个家伙是一个完全不认识的陌生人,只要说:"对不起,我弄错了——走错了房间。"那就万事大吉了。

(274)但是如果住在 13 号房间里的竟然就是那个讨厌的里尔登,那么一等他开门,他就准备向他提出一些尖锐的问题:"你他妈的在这里做什么? 为什么到处跟着我? "

(275)对!就这么干!很显然,里尔登没有证据,不敢指控他什么。因为如果有证据,那布兰森早就被捕了。布兰森意识到这一事实使自己处于一种有利的地位,即使这或许只是暂时的。

(276)带着突然下定的决心,布兰森匆匆走到13号房间,他准备大闹一场,如果出现的是那张熟悉的面孔。他敲了敲门,没有回音。他把耳朵凑在钥匙孔前,听不到任何声音。

(277)他敲了好长时间,敲门声也越来越响,可房间里就是没有声音。或许房间里没有人?他试试门上的把手,打不开。

(278)走廊转弯处传来了脚步声。布兰森赶忙奔回自己的房间,把房门虚掩着,从隙缝向外张望。一个身材矮胖、挺着大肚子的人噔噔噔地走过 13 号房间,然后继续往前走。布兰森把门关上,坐到床上,苦思冥想起来。

(279)上床前,他把门锁好,又摆了一张椅子在门的把手下面,作为附加的措施。然后又向窗外观察了许久, 没有发现有人监视的迹象。

(280)这一晚他根本没有睡好。他惦念多萝西和两个孩子,他们现在在做什么?要到什么时候才能再见到他们呢?开始的几个小时他一直处于警觉和半清醒的状态,后来则陷入一连串荒诞的梦中。

(281)早上 8 时 30 分，报社一开门他就到了那里。回到旅馆后，他把一大卷过期的报纸扔在房间里，然后下去用早餐。有十来个人在那里聊天和吃早餐。这些人他一个也不认识。他想，这伙人的名字都可能叫里尔登。

(282) 他一份一份地在报纸中找着。这些报纸几乎追溯到一年之前。没有一份提及他的罪行。或许警方出于某种理由，把这消息给压住了？

(283)他觉得他必须想办法去了解情况。他想到了一招险棋:大胆、直率地到警察局去打听那件事!只要他有足够的勇气走出这一招,就有把握获得他想要的信息。

(284)他可以使用一个假名字,把自己说成是一个专门写侦破疑案的作家,想请当地警察局协助提供有关阿琳·拉法奇的材料。这个主意怎么样?天哪,太过份了!他可以想象出警察的反应。

(285)"嗨,你怎么知道这件事?报纸上还没有登过哪!你竟然知道被害人的姓名?连我们都还不知道呢!只有一个人才可能知道那么多——做这件事的那个人!先生,你知道的太多了,看来你就是那个人!"

(286)然后,他们会把他作为一个主要的嫌疑犯拘留起来,最终会发现他的真实身份。这等于羊入虎口嘛!不行,太危险了,也太愚蠢了。

(287)到电话亭去给他们挂个电话怎么样?他们不可能通过一英里的电话线把人抓起来。而且如果不把电话挂得过长,他们也没有机会追踪到他。

(288)好吧,就这样试一试。他可以问警长是否需要一些有关在树下发现骨头的那起案件的线索,如果那个警长显示出兴趣,那就说明骨头确已被发现,当局正在展开调查。

(289)没有理由再拖延了,布兰森决定冒险一试。他走出房间,转过身子,顺着铺了地毯的走廊迅速地走着。他走到 13 号房间的门口时,正好房门打开,里尔登从里面走出来。

(290)里尔登没有流露出一丝惊奇的神气,说道:"啊,真想不到会碰到——"他没有再说下去。布兰森猛的一拳正好打在他的牙齿上,这猛烈的一拳是由恐惧和愤怒混合在一起而产生的。里尔登跌回到自己的房间里。

147

(291)布兰森充满了极端的绝望,向他扑过去,又打了他一拳。这一次是打在下巴上。尽管里尔登长得又高又瘦,却是个经得起打的家伙,虽然遭到了突然的袭击,依旧拒绝倒下去。

(292)布兰森决定充分利用自己的有利形势,不让他有一丁点儿机会。愤怒给了他自己都惊讶的力量,他对准里尔登的咽喉猛击一拳,里尔登发出一声刺耳、沙哑的咳嗽,似乎要倒下去了。

(293)布兰森又打了他三拳,里尔登才倒了下去。布兰森回头一望,看到房门大开着。他走到门口,顺着走廊张望了一下,一个人也没有。他小心翼翼地关上门,然后回到他的对手身边。

(294)里尔登摊手摊脚地躺在地上,双眼紧闭,嘴唇上淌着血,短上衣敞开着,露出了一只挂在腋下的小皮套,里面有一把自动手枪。布兰森好奇地看着那把枪,但没有去碰它。

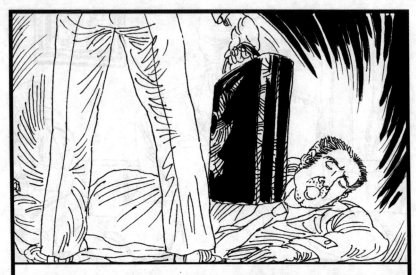

(295)他站在里尔登身旁,断定这个家伙是一个十分精明、十分固执的追踪者,精明固执得令他感到不安。如果不利用目前的处境,不把这条追捕的猎犬甩开一段时间,那可是愚蠢透绝顶了。

(296)布兰森走到对方的行李箱跟前,把它打开,发现里面有一打手帕,几条领带和旅行时常用的一切必需品。他用领带和手帕把里尔登的手脚绑了起来,塞住了他的嘴。

(297)布兰森迅速地搜了他的身，找到了他的皮夹，打开来仔细查看。里面有张卡，卡上印有一只凸出的鹰，一串数字号码，以及几个字：美国联邦政府军事情报局，约瑟夫·里尔登。布兰森顿时觉得脑后的头发都竖了起来。

(298)天啊，一起普通的卑鄙的谋杀案需要军事情报局出马吗？这叫他摸不着头脑了。唯一的可能是：当杀人案涉及某一个干绝密工作的人时，军事情报局就接管了警察局的权限。

(299)但这似乎不大可能。据他所知,警察局在执法时对其他一切情况一概无动于衷、漠不关心,他们会这么轻易地将自己的权限拱手让出吗?

(300)不管怎样,这个追捕者暂时被阻住了。布兰森把皮夹放回里尔登的口袋,把他塞到床下,然后偷偷地向外张望了一下,没有发现周围有什么人。他离开了 13 号房间。

(301)他冲进自己的房间,拎起手提箱,匆匆地扫视了一下四周,看看有没有东西遗忘,然后赶紧跑到休息室去结账。

(302)他匆匆来到公共汽车站,发现在 50 分钟内没有公共汽车开出,于是他又来到火车站碰运气,一个半小时内也没有火车开出。

(303)被追踪者的本能警告他尽量不要在汉伯雷多逗留一分钟。他暂时打消了向警察局挂电话的念头。电话是可以在任何地方挂的。挂这类电话时,距离越远,就越能增加乐趣。

(304)要在里尔登脱出身来以及追捕他的权力机构把镇子封锁之前离开这里。他走出小镇,虽然疲惫,但还是保持着迅速的步伐,心里只想,在天黑之前与多萝西通个电话,问问她和两个孩子在做什么。

154

(305)他又一次不知不觉地显示出缺乏那种罪犯的熟练性:他从未想到过去偷一辆汽车,迅速地逃走,然后把汽车丢在某一个大镇上,再偷一辆汽车以便把水搅混。

(306)走了20分钟后,一辆被撞瘪的、开起来呼哧呼哧响的小轿车追上了他,停下来,问他要不要搭车。他接受了,坐在一个红面孔、红脖子、喋喋不休的人旁边,并老老实实地告诉他:他在等待公共汽车赶上来。

(307)"你打算上哪里去?"红面孔问他。"随便哪个大镇。"布兰森拍拍他的手提箱,"我是挨家挨户串门的。""你卖什么?""保险单。"

(308)驶出汉伯雷大约有30英里,小轿车被两辆汽车拦住了去路。一个穿制服的人从围在这两辆车子旁的人群中走出来,站在道路中央。这是一个州警察,他举起一只手,不准车子过去。

(309)"怎么啦?"红面孔把车停下来了。其中停着的一辆汽车突然启动起来,然后开走了。又一个州警察走了过来。两个人小心翼翼地走近轿车。看样子,他们对车中的乘客比对轿车更感兴趣。

(310)"喂,威尔默,你是在哪里找到这个家伙的?"一个警察问。"在汉伯雷镇外让他搭车的。"红面孔承认说。

(311)"是吗?"州警察小心地打量着布兰森。他的同伙也打量着他,"你跟我们要找的人的容貌特征多少有些相似。你姓什么?""卡特。"

(312)"有什么东西可以证明你的身份吗?"警察说。"恐怕没有。我把大部分个人证件都留在家里了。"布兰森说。警察猛地把车门拉开,作了个权威性的手势,"我们要更仔细地看看你和你的东西。"

(313)布兰森下了车,头脑里在说:"这下子完了!"身材较矮的州警察伸手把手提箱从车里拉出来,另一个则警惕地在几码外站着,手放在枪上。逃跑是没有用的。"请把皮夹和钥匙拿出来。"布兰森交给了他们。

(314)对方小心地清查了他的证件,满意地咕哝了一声,对他的伙伴说:"就是这家伙,理查德·布兰森。"

(315)"上车吧。"身材较矮的州警察指指那辆巡逻警车说。"为什么要我去!你们抓住了我什么把柄?"布兰森说。"到了总局你就会知道一切了。"州警察厉声说,"我们可以因为怀疑你而扣留你一天,上车吧。"

(316)布兰森不再争辩,钻进了警车。矮个子坐在他旁边,另一个坐在驾驶员的座位上,对着一个手提话筒说道:"9 号车,希利和格雷格。我们刚找到布兰森。现在把他带回来了。"

(317)在总部,他们并不粗暴。他们对他的身份作了进一步核查之后便让他吃了一顿便餐,随后将他关进一个单人牢房,并没有对他们进行审讯。

(318)三个小时后,里尔登来到了总部。除了嘴唇上有两块药布外,看上去并没有受伤。他坐在总部为他提供的一个小办公室内,耐心地等待他们将布兰森带进来。

(319)两个人面面相对,互相冷漠地注视着对方。然后,里尔登说:
"我想你知道自己完全会因为对他人进行人身攻击而受到指控。"
"那就去指控吧。"布兰森耸了耸肩说道。

(320)"你为什么要这样干?为什么要袭击我?""那是要教训你别管
闲事。""我明白了。你是反对我呆在你附近啰?""当然。谁不反对?"

(321)"大多数人不会反对。"里尔登说,"他们没什么可隐瞒的,而你,你有什么可隐瞒的?""你去调查吧。""眼下我正想调查。你愿意告诉我吗?"

(322)布兰森茫然地凝视着墙壁。到目前为止,凶杀一事并未提及。这就怪了,他们跟踪他并将他关了起来,为什么呢?也许里尔登是个喜欢捉迷藏的虐待狂,要将此事留在最后才问。

(323)"或许我可以帮助你。"里尔登继续说道,依然摆出一副泰然自若的样子,"我很想帮助你。但如果我不知你究竟在想些什么,就无法帮助你。"布兰森告诉他说:"我在想鸡毛蒜皮。"

(324)里尔登严厉地说:"这可不是歌舞杂耍表演,这是一件十分严肃的事情。如果你遇到了某种麻烦而需要帮助的话,你必须说实话。""我能照顾好自己。"

(325)"逃离工作岗位和家庭是照顾你自己的一种极为差劲的方式。""我自己能够判断这一切。"

(326)"我也能判断!"里尔登咆哮着说,"记住,我会想方设法彻底搞清这件事的。""你要彻底搞清什么?"布兰森挖苦地问道,"我是在度一次短假,这是正当申请并得到了官方批准。"

(327)里尔登深深地叹了一口气说道:"我看你眼下还不愿说实话,只好带你回去。路上我们可以继续谈。""你无权带我回去。"布兰森说,"对他人进行人身攻击并非是一种可以引渡的犯法行为。"

(328)"我并未因人身攻击对你进行指控,将来也不会。"里尔登反驳说,"要是有一天我只因挨了一记耳光而起诉,那就糟了。你还是乖乖地跟我回去,否则……""否则怎样?"

(329)"否则我会怀疑你对政府不忠和泄露官方机密向联邦法院起诉。随后,你就会去别人叫你去的地方,而且还得乖乖地跑步去。"布兰森感到自己的脸胀得通红,他气愤地说:"我不是卖国贼。"

(330)"没有人说你是卖国贼。""是的,你是这么说的。你刚才就是这么说的。"

(331)"我根本没这么说。"里尔登反驳说,"不管怎么说,迄今为止我没有理由能怀疑你对国家的忠诚。不过,必要时,我会以其人之道还治其人之身。我已经告诉过你,我会不择手段将你带回去,并查出你所隐瞒的真情。"

(332)"好了,这就使我得出两个结论。"布兰森说,"不是你疯了就是你认为我疯了。""据我所知,你也许精神错乱了。"里尔登答道,"我想知道你是怎么会突然精神错乱的。"

(333)布兰森眯着眼对他说:"你在胡说些什么?""我是在谈疯子。我是在说那些神志正常、富有智慧的人突然失去了理智。我们已经遇到许多这样的人。现在是制止这种情况的时候了。"

(334)"我不明白,况且我也不想明白。我只能说,如果你相信一个人想度假并想得到必要的休息是丧失理智的话,那么你自己的脑子一定是出了毛病。""你并不是在度假。如果你是在度假,你就会带上你的妻子和孩子。"

(335)"你好像比我更了解我的心思。"布兰森冷冷地说,"那你认为我在干什么呢?""你是在逃避某种东西,要不,是在寻找某种东西,而很可能是前者。"

(336)"你得找到事实来证明这种看法。拿出事实,要么干脆闭嘴。"里尔登皱着眉头看了看手表说:"你不能整日呆在这里谈论毫无意义的东西。有一班火车将在20分钟后开。你是想乖乖地走呢,还是喜欢被拖着走?"

(337)"好吧，我们就去赶那班火车吧。"布兰森站起身，他再次感到思绪混乱起来。他俩的谈话一点也未涉及阿琳·拉法格。

喂!!!

(338)正当火车在农村蜿蜒行驶的时候，里尔登重新开始审问布兰森。"喂，布兰森，我与你坦诚相见。你也对我坦率直言吧。我告诉你我为什么对你特别感兴趣，作为回报，我要你告诉我你出逃的原因。"

(339)"我没有出逃。""也许眼下没有。自从我抓住你之后你的确没有。不过你起初是出逃。"

(340)"我没有逃。那只是你的错觉。""我想提醒你一件你似乎已经忘记的事情,就是现在正在进行一场战争。你,还有其他许多人,你们为什么要致力于发展更新更好的武器呢?"

(341)"你说呢？""以防冷战变成热战。每一方都企图盗走对方的最佳脑力劳动者，或收买他们或彻底消灭他们。我们已经失去了许多科学家、方案和计划。他们也同样如此。"

(342)"你并未告诉我什么新鲜或奇妙的事情。"布兰森抱怨说，"就我而论，当一个人外出度假就会被怀疑打算出卖自己所了解的东西，这是难以容忍的。"

(343)"你把形势过于简单化了。"里尔登说,"双方都在觊觎着对方的脑力劳动成果,想为己所用;无法得到时,便会毁掉它,使敌人也无法使用。你明白了吗?"

(344)"废话!我这个人不值得烦扰别人来谋杀。"布兰森说。里尔登说:"就我个人来说,我对每一个布兰森都得加以注意,因为我担心着一百个,或一千个布兰森的安全。"

(345)"好了,你现在可以放心了,"布兰森说,"我的脑袋依然牢牢地长在我的肩膀上。"里尔登继续开导他:"一个脑力劳动者突然拒绝继续为国家工作,这对国家来说就是在这场未公开宣战的战争中的一种损失。"

(346)"这是显而易见的。"布兰森说,"任何一个傻瓜都会明白这一点。要是你不介意我夸口的话,我在好多年以前就已经明白了。但我看不出这与我目前的情况有什么关系。"

(347)"我正要谈这一点。"里尔登回答说,"近两年,不光你们厂,其他厂也都失去了一些卓越的科学家。如果我们不设法阻止这种现象,"他挥动了一下手臂说,"就要——完蛋!"

(348)"你肯定这些损失都是不自然的吗?"布兰森问道。他想起了自己曾对伯格表示过的怀疑。"非常肯定。他们开始都在工作上出毛病,最终大都精神崩溃。有些人情况恶化得更快些,有些人不说一声再见就溜走了。"

(349)"还有一些人提出辞职或请假或申请度假，然后便一去不复返了。他们中有几个人跨越了边境。我们知道他们目前在干什么，与我国的利益并无冲突。最近我们查出并抓住了三个依然留在国内的科学家。"

(350)"我能理解他们。"布兰森说，"我十分讨厌别人到处跟踪我，我也决不会平白无故地敲你的牙齿。我认为现在该是你们学会如何生活以及如何让别人生活的时候了。"

(351)里尔登并未理会他的话,而是继续说道:"在我们决定跟踪你的当天,我们还在别处跟踪了另外一个人,他表现出与你相同的症状。"

(352)"你们抓住他了吗?""还没有。"里尔登接着说,"你不知道,我们已经派出了一架飞机,向所有的武器研究机构及时打听那些突然丢弃工作或举止反常或开始变得古怪的雇员的情况。"

(353)现在军事情报局介入的原因已经清楚了,他们和警方正不知不觉地在互相矛盾的情况下工作着。前者怀疑有某种神秘的力量在迫使布兰森放弃自己的责任,而后者至今尚未发现一条能确认他犯罪的线索。

(354)军事情报局怀疑他将要成为叛逃者,他深感不安;警方依然按兵不动,却也使他感了到极大的欣慰。"我说的对吗?"里尔登问道,"是不是有人的生命正受到威胁?"布兰森不耐烦地说:"随你怎么想。"

(355)里尔登在座位上稍微转过身子向窗外望去。他凝视着掠过的景色,列车正轰隆轰隆地向前奔驰着。他沉默了几分钟,完全陷于沉思之中。突然,他转过身说道:"那个不起眼的伯利斯顿与此事有何关系?"

(356)布兰森失去了自控,他的身子抖动了一下,面孔变色。问题来得如此突然,仿佛有人对他的腹部猛地踢了一脚。他问:"你是什么意思?"

(357)"你还想回避问题,可你的脸色暴露了你的恐慌。伯利斯顿对你来说既是一个重要的地方,又是一个模糊而又险恶的地方。然而,它却是一个你不得不去调查的地方。"

(358)"既然你对这该死的地方知道得那么多,你也应该知道是怎么回事了。""我并不知道。再说,我不信你能调查到什么。"里尔登紧紧握着双拳,漫不经心地望着他的指关节,"我能猜出为什么你的调查会一无所获。"

(359)布兰森沉默不语。"你买了大量过期的汉伯雷地方报,独自坐在房间里认真地阅读,可是你没能从那些过时的废话中找到能消除你紧张心情的东西,对吗?"

(360)布兰森拉长着脸,没有回答。"你在伯利斯顿和汉伯雷同许多人交谈过,我们已经全都作了调查,以便寻找外国势力介入的证据。但我们没有找到任何线索,这些人都像初生的小狗一样干净。"

(361)"好吧,让我来告诉你。"布兰森说道,"我要寻找的东西根本不存在。"里尔登则说:"你所寻找的东西无论过去还是现在都是存在的,一个具有像你这样智力的人,是决不会平白无故地四处寻觅的。"

(362)"正如我刚才说的,这是废话。""你的情况和另外几个人一样糟,全都守口如瓶,或答非所问。你们都说没有一条法律能阻止你们做自己想做的事,全都用这种说法来替自己辩护。"

(363)"他们也许是完全清白的。"布兰森说。"对于你们的所作所为,'清白'一词用得并不确切。"里尔登说,"亨德森改行开了一家五金店。他说他喜欢这样,他宁愿替自己工作,这样使他感到非常满足。"

(364)"如果你问我,我也有非常充分的理由。""我才不问你呢。"里尔登说,"我们找到了亨德森。他接受了审问,接着便离开了。两星期前他在一个名叫湖畔的地方又开了一家小五金店。这有点奇怪!我们还在监视他。"

(365)布兰森显出极不耐烦的样子,他望着窗外。"你遇到了麻烦,于是去伯利斯顿寻找解决的办法。你潜逃在外,像一只被困的老鼠一样在伯利斯顿周围乱窜,但这并未给你带来多大好处,你依然陷于困境之中。"

(366)"哦,住嘴!"布兰森厉声说道。"在你背上的魔鬼并没有像你希望的那样在伯利斯顿跳下来,相反,他抓得更紧,现在依然骑在你的背上。你所需要做的就是开口把他的名字说出来。"

(367)"请原谅，"布兰森站起身，露出了歉意的微笑，"我想上厕所。"在深感吃惊的里尔登还未来得及决定该怎么办之前，他就已经走出了车厢，要想出一个阻止他或坚持要陪他的借口都来不及。

(368)当布兰森转身急速穿过走廊时，他的一只眼睛看到里尔登焦急不安地站了起来，因犹豫不决，他的动作有些迟缓。布兰森加快速度跑到厕所，将身后的门扣住，接着打开窗子迅速向车外望去。

(369)他爬出了窗子。他在窗沿上站了几秒钟,列车产生的气流使他的身子不断地抖动。这时,他猛地跳下了火车。

(370)布兰森落在一个长满野草向下倾斜的陡坡上。他尽量使身体缩成球状往下滚。那斜坡仿佛有一英里高,让他觉得自己永远不会到达它的底部。最终他猛地摔进一条旱沟内。他气喘吁吁,浑身是泥。

(371)布兰森在原地躺了一会儿,呼吸着新鲜空气。他一边不停地打喷嚏,一边倾听着头顶上渐渐消逝的列车的回声。

(372)火车并没有要停下的迹象,而是带着失望的里尔登继续不停地朝前奔驶。里尔登每延迟一秒钟采取行动就会失去一段距离。也许他会在行驶10英里或20英里之后才能弄清布兰森已跳车逃跑了,到那时他才会采取行动。

(373)布兰森在旱沟里站了起来,小心地挺直身体,他试着动了动全身的筋骨,发现自己没有受伤,只有摔破了衣服。如果他是在拍电影,这个跳车动作再精彩不过了。

(374)电影?电影!布兰森的头脑中突然一震,一时间感觉有点迷迷糊糊,刚要爬上旱沟便又停了下来,我这是在干什么?

(375)他第一次意识到自己是生活在两个世界中,这两个世界杂揉交错,完全不协调,哪一个更像电影?他无法判断,也无法分辨,而只是在其中盲目地疲于奔命。

(376)也许里尔登说他精神错乱是对的,也许他正在迅速地失去正常的思维能力。最终他会被关起来并生活在一个可怕的幻觉之中,而只有他清醒的时候才能看见眼泪汪汪的多萝西。

(377)他爬出旱沟,登上斜坡,望望伸向远方的铁轨。火车已经消失了。他并未看到一个伤痕累累和满身灰尘的里尔登不受欢迎地前来陪同他。对此他感到十分满意。

(378)随后他作了一次自我反省,认为无论自己有什么过错,那决不是精神错乱,而只是在千方百计地想摆脱忧虑。当他竭力控制自己的感情时,他就能客观地看待自己。

(379) 布兰森沿着铁轨往回走，不久来到一座位于泥路上方的桥上。他离开铁轨，走下斜坡，踏上泥路继续前进。他只能凭猜测选择最佳路线，没时间坐下来等别人来告诉他该走的路线。

(380)布兰森决定往右拐，他沿着一条狭窄、被人踏成的小路慢跑了两英里。这时他踏上了一条碎石路，随后又往左拐。十分钟后他搭上了一辆满载着蔬菜的农村卡车。

(381)卡车司机言语不多,对搭车人的身份和目的毫无兴趣。他带着布兰森行驶了 20 英里后来到了一座城镇，在那里布兰森下了车。司机向他点了点头便告别了。

(382)这里是最近的逃亡地点,此刻或不久它便会成为一个危险之地,绝不能久留。于是他迅速地搭乘下一班汽车离开了。感谢上帝,尽管他的手提箱留在了火车上,皮夹和钱却还在身上。

(383)汽车行驶了60英里,随后来到了一个较大的城镇。布兰森意识到自己现在是一副邋遢相,便决定在镇上休整一下。他洗了澡,修理了一下胡子,全身打扮了一番。这使他信心倍增。

(384)他吃了顿饭,补充了能量,然后向汽车站走去。两名警察正无所事事地站在街道的拐角处,并没有特别注意他,或对他显出什么好奇心。显然,通缉令还未传到这里,但随时都可能传来。

194

(385)有一班特快车即将开往 70 英里外的一个城市,他乘上这辆车,平安无事地来到了该城,然后消失在人群之中。现在他离家更近了。家!他感到自己非常渴望与家人说话。

(386)他知道家里的电话可能已被安上了窃听装置,打进去的电话将受到监听,值得怀疑的电话会受到追查。给多萝西打电话可能会泄漏自己所处的位置。不过,为了能提高自己的信心,他想冒一次险。

(387)中心邮局的大厅内有一排电话亭,他选择了中间的一个。他拨通了电话,多萝西拿起了话筒。他尽量使自己的声音听上去比较欢快和亲热。他问候说:"嗨,宝贝,我是你离家的情人。"

(388)"里奇!"她惊叫起来,"昨晚我一直在等你的电话。"他说:"我想打电话,但不行,一个饶舌的家伙占去了我的时间,所以才推迟到今天打。迟打总比不打好,是吗?"

(389)"是的,当然啦。你现在的情况怎么样?感觉好多了吗?""好极了。"他撒谎说,"家里情况怎样?"

(390)"一切都好,只是发生了两件怪事。""发生了什么事?""在你离家的那天有人打来电话,自称是从厂里打来的,他想了解你到哪里去了。"

(391)"你怎么说的?""他的问题使我感到有些奇怪,我想你是经官方准许才离家的。你总是告诉我不要随便谈论你的工作,所以我告诉那人,让他向有关部门询问。"

(392)"他有什么反应?""我想他一定很不高兴。"多萝西有点儿担忧地说,"他挂断了电话,好像是生气了。哦,里奇,但愿我没有得罪什么重要人物。"

(393)"你干得很好。"他安慰说。"这还不算,"她继续说,"两小时后有两个男人找上门来。他们说是工厂保安部门的,并向我出示了证件。"

(394)"他们问我是否知道你去了哪里,我告诉他们你去了伯利斯顿。又闲聊了一阵他们就走了。很奇怪,他们的脸上一直毫无表情。"

(395)"还发生了别的什么事吗?""是的。第二天早上,一个身材结实的男人也找上门来,打听你的情况。他想知道你去了哪里,要去多久。"

(396)"他不愿意告诉我他的名字。我不喜欢他,没让他进门,让他到厂里去问。我把他打发了,看着他走进对面的门里。"

(397)"也许他就是前一天打电话的那个家伙。"布兰森仔细地想了想说。"我不信他是同一个人,他的声音听起来不一样。"

(398)从多萝西的描述来看,此人有点像那个在餐馆里碰到并多次在路上盯他梢的人。

(399)"他没有说为什么想见我?""没有,里奇。"她停顿了一下,"也许我当时有些傻。不过后来我确信他根本不是想见你。他只是想确认你不在家,而且已经出走了。"

(400)多萝西努力回忆起当时的情形,"不过实事求是地讲,他非常和蔼,彬彬有礼,许多外国人都这样。""啊?"布兰森竖起耳朵,突然警觉起来,"你认为他是外国人?"

(401)"我肯定他是外国人。他很有礼貌,英语讲得十分流利,但带有一点奇怪的口音。""你有没有给厂里来的那两个人打电话,把这件事告诉他们?"

(402)"没有,里奇。我应该打电话吗?好像没有什么事情值得告诉他们的。""算了,这并不重要。"

(403)布兰森与多萝西又闲聊了一会,了解了孩子们的情况,并互相开了些玩笑。然后他告诉她自己可能会晚几天回家。

(404)打完电话,他急忙离开了电话亭,因为他觉得这个电话打得时间太长,有些危险。走在街上,他开始琢磨这些最新的消息,不明白这究竟意味着什么。

(405)如果最后那个神秘的来访者就是那个盯梢者,而他又是个外国人的话,那么自己原先的分析一定是错了。那家伙不是便衣警察或官方派来的侦探,他是个监视者,但不是官方派来的监视者。

(406)先是有人打电话,然后是里尔登同他的助手一起来访,最后是那个神秘外国人登门。看来他们并不是一伙的,不然他们的行动不会这样不统一。

(407)这就是说,有两个互相独立的,不同的组织同时对布兰森的行动感到有兴趣。而这两个组织都不是警方。

(408)但是,应该只有警方才有权对他感兴趣,才会有抓他的动机呀。对此想得越多,布兰森就越觉得不可思议。这真是一种会使人发疯的局面,一定要想办法解决。去找亨德森怎么样?

206

(409)布兰森在郊区一所提供住宿的小房屋里住了一晚。那是个肮脏的地方,只比老鼠洞稍好一些。不过还好,房子的主人是一个面无笑容、样子难看的女人,性格内向,不爱讲话,更不会多管闲事,这正合布兰森的心意。

(410)10点钟布兰森又回到了市中心。他找到了公共图书馆,借了一本全国地名录,然后坐在阅览室里看了起来。他发现有许多带"湖"字的地名,像什么"湖镇"、"湖城"、"湖岸"、"湖景"等等。

(411)很快,布兰森找到了两个名为"湖畔"的地方,每处住有约2000名居民。亨德森会住在哪一个"湖畔"呢?

(412)经过思考,他认为此时此地无法确定正确的地方,即使打电话询问也不行。不如碰一下运气,去其中一个地方察看一下,找不到就再去另一个地方。布兰森决定先去较近的一处。

(413)他来到了火车站。在入口处、售票处以及站台上他都十分留意周围的动静。在火车没有到达之前,他始终保持着警惕,上车后也没有发现对他特别感兴趣的人。

(414)路上花去差不多一天的时间,而且还要再转两次车。傍晚时分,他步入了这个舒适小镇的主要街道。该镇位于茂密的树林之间,镇南方有一条狭长的湖泊闪耀着光辉。

(415)布兰森走进一家小餐馆,要了一份咖啡和三明治,然后对招待说:"你知道附近有一家五金店吗?""有,阿迪五金店。"对方答道。

(416)他离开了小餐馆,向右拐,走了一个街区,然后在街道拐角处又拐了个弯。这时他发现自己的选择是正确的,他正面对着一家小店,门面招牌上写着"阿迪五金店"几个字。布兰森推开店门走了进去。

(417)店内有两位顾客,一位在买围篱笆用的铁丝,另一位则正在察看一只火油炉。前者正由一个梳着燕窝式发型,身材瘦长的年轻人服侍。而后者则由一个体格结实的男人照料着。

(418)当布兰森走进店时,那男人抬头望了望,惊讶地向他打了个招呼,然后继续同顾客谈论火油炉。布兰森坐在一个装钉子的小桶上,一直等到这两位顾客买完东西后离去。

(419)然后布兰森说:"嗨,亨尼!"亨德森并不高兴,咆哮着说:"你想干什么?""这算是热诚的欢迎?"布兰森说道,"你难道不喜欢见一位老同事吗?"

(420)"我想我只是同你有些面熟,只听说过你的名字而已。如果说我们是亲密的伙伴,这对我可是条新闻。""面熟与听说名字足以开始我们之间的永恒友谊,不是吗?"

(421)"你总不见得跑这么远来吻我吧。"亨德森气愤地答道,"好,说实在的,你想干什么?""想同你私下谈谈。""是谁派你来的?""没人派我来。我完全是自己要来的。"

(422)"我会相信的。"亨德森显出很不耐烦的样子,"难道你是从水晶球中得知我的地址的?""要是我们能找一个安静舒适的地方,我可以向你完全解释清楚,包你满意。"

(423)亨德森刚要反驳,布兰森用一只手挡住了他,说道:"这里可不是谈论这种事情的地方。等你打烊后咱们再谈,怎么样?"亨德森皱了皱眉头, 很不情愿地说:"好吧, 我们8点钟在对过的咖啡厅见。"

(424)布兰森离店时,又有一位顾客缓步走了进来。到了店外,他想起了里尔登说的话,即有人在暗中监视亨德森。这种监视会对所有的来访者都加以注意,也许还会认出在别处被通缉的人。

214

(425)如何度过从现在到晚上8点之间这段时间却是个问题。在大街上逛两个小时肯定会引起别人的注意,布兰森可不愿这样。于是,他选择了一条通往湖泊的道路,看上去像是在湖边溜达,观赏景色。

(426)再吃一点东西就可以消磨这点时间了,于是他又来到了刚才的那家小餐馆,要了一份咖啡、三明治。

(427)8点正,布兰森来到五金店。亨德森很快地打开门出来,领着他进了咖啡厅。亨德森的脸色很黑,显得十分警觉。他们找了个安静的角落坐了下来。

(428)"告诉你,布兰森,"亨德森的情绪很不好,"这样的话我听了很多遍了:'在国防工厂的工作每年可以给你带来极为丰厚的收入,这个蹩脚的小店能吗?'你也想说这个,对吗?"

(429)"不对。"布兰森回答说,"如果你认为合适,你就是开几家妓院也无妨,我才不管呢。""这倒是一个令人愉快的变化。"亨德森讽刺地说,"他们决定从另一个角度来调查我,是吗?"

(430)"我到此并不是想调查你。""那你来干什么?""我自己也遇到了极大的麻烦。我想你对我可能会有很大的帮助。"

217

(431)"而且，"布兰森顿了顿，"我想我对你也同样会有很大的帮助。""我不需要帮助。"亨德森说，"我所需要的只是平安和一种宁静的生活。"

(432)"我也一样。但我无法得到我希望而且应该得到的那种安静。我也不相信你得到了。不过我认为只要我们合作，我们就能够得到安静。你想听听我的情况吗?"布兰森说。

(433)"既然来了,那就说吧。不过,你最好不要对我说只要回去一切可以原谅之类的话。对于那些让我放弃做自己喜欢做的事情的劝告,我已经形成了一种很强的抗拒力。"亨德森声明说。

(434)布兰森压低了声音:"我是个杀人犯。大约20年前我杀害了一个姑娘,随后冷漠地将这事从记忆中抹掉了。我将这事忘掉,因为我不想为此而感到烦恼。但最近这件事终于被发现了,这意味着警察正在对此展开调查。"

(435)亨德森用怀疑的目光望着他,"你想告诉我你是一个真正的、地地道道的杀人犯?""我那良好而又可靠的记忆是这样肯定的。"布兰森停顿了一下,却又推翻了刚才的话,"我那该死的记忆在撒谎。"

(436)亨德森的香烟从手指中掉了下来。他斜着身子将它从地毯上捡起来。他差点儿把香烟点着的那一头放进嘴里,幸好及时发现了,便调转烟头,然后深深地吸了一口,却被烟呛着了,发出一阵咳嗽。

(437)"我很怕,神经非常紧张,于是我出逃了。出于我自己也无法解释的某种原因,我做了一些被认为罪犯会做但在现实生活中又不常做的事情:我回到了犯罪地点。"

(438)"啊!"亨德森捻熄了尚未抽完的香烟,他将身体偏向前方,全神贯注地听对方诉说,"那后来呢?""我无法找到犯罪的证据。"

(439) 布兰森继续说:"我是在一个名叫伯利斯顿的乡镇郊外杀害那姑娘的。我去了伯利斯顿并向一直生活在那里的居民打听情况,他们对此却一无所知。"

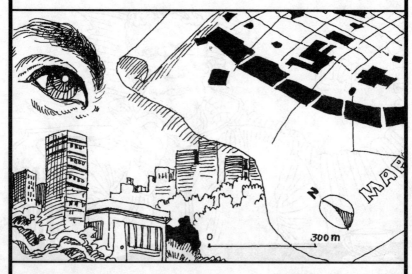

(440)"也许你走错了地方,去了另外一个伯利斯顿。"亨德森说。"我也这样想过,还翻阅了全国地名录,但全国只有一个伯利斯顿。"

(441)"噢?也许你把地名搞错了。可能是一个与它的名字相似的其他地方。""我的记忆告诉我,是伯利斯顿而不是其他地方。"

(442) 亨德森沉思了一会儿说:"看来你的记忆出了毛病。""对极了!"布兰森赞同地说,他说话时特别强调了这几个字,"你的记忆是否也出了毛病?"

223

(443)亨德森迅速站起来问道:"你是什么意思?你问我的记忆是否出了毛病?""你记得一个名叫阿琳·拉法格的姑娘吗?"

(444)"从未听说过她,这是真的,布兰森。"亨德森把双手放在身后,脸上显示出全神贯注的神色,看上去忧心忡忡,"她就是你认为被你杀死的那个女人?""是的。"

(445)"那我怎么会认识她呢?""我希望你也会认为自己杀害了她。"布兰森说,"这样,我们就好好研究一下为什么我们会产生这种想法,以及怎样更好地来分担我们的忧愁。"

(446)亨德森沉默着,就像一头烦躁不安的动物一样在室内徘徊。布兰森突然问道:"亨尼,你究竟杀害了谁?""你疯了?"亨德森停住脚步说。

(447)"完全有可能。不过,我决不是唯一发疯的人,工厂里有许多人在令人难以捉摸的情况下出走的。权威的消息来源说,其他工厂也失去了一些工作人员,没人能知道或能想象他们为什么出走。"

(448)"我听说了。"亨德森说,"我还在工厂时,就已经开始有人出走了。"布兰森继续说道:"到了伯利斯顿,对自己的过去作了一番调查后,我发现自己犯了一条我认为可能根本没有发生过的杀人罪。"

(449)"这一切与我有什么关系呢?"亨德森问。布兰森观察了一下对方的表情说:"如果所有离厂的人都能像我一样,都能花点时间回到他们所谓的犯罪地点,证实自己所犯过的罪行,肯定会对搞清事情的真相有很大的帮助。"

(450)"这就是你来找我的原因?"亨德森问。"是的。""你有没有找到其他人?""没有,他们都消失在无人知道的地方。我只是侥幸才得知你的藏身之处。"

(451)"你的调查并不充分。"亨德森说,"要是我处于你的境地,我会争取了解更多的情况,把一切都弄清了,再怀疑自己的头脑是否出了毛病。而你却宁愿相信是自己发疯了,而不愿查清自己是不是真的犯了罪。"

(452)"你说的不错。"布兰森说,"明天我就会设法把问题搞清楚的。""采取什么办法?""我要把此事告诉警方。""你是说去自首?"

(453)"不,决不!不到万不得已我决不会认输,也决不会投降,我就是这样的人。"布兰森咧嘴朝对方笑了笑,"我打算给警方挂个长途,探一下虚实。"

(454)"然后呢?""如果我是清白的,我准备调查一下究竟是什么东西搞昏了我的头脑,然后尽量把它治好。我可不想将来再做一场恶梦。"

(455)"好吧,你对该从何处着手调查已有了一个初步的想法,但那究竟会是什么东西呢?""我也不知道。"布兰森坦率地说,"要是伯利斯顿的警方能证明我是清白的,我想先回去再说。"

(456)亨德森担心地问道:"你要走吗?""是的,我得走了。""在这种时候你能去哪里?"布兰森望了望手表说:"我去找个地方睡觉。如果实在无处可去,我就在火车站的候车室里过夜。"

230

(457)亨德森提醒他说:"你的处境十分危险。下一班火车将在早上10点半开。你为什么不住在我家里呢?""你真是太客气了!你肯定我没有打扰你吗?"

(458)"我很高兴能与你作伴。我们有共同之处。""你说了实话。"布兰森重新坐了下来,眼睛盯着对方,"你准备怎么办?"

(459)亨德森看了看钟:"该走了,上我那儿去,怎么样?""我已准备好了。"布兰森站起身,打着哈欠,"明天还得跟警察打交道。在伯利斯顿时我就该向他们发出诱饵,但我当时缺乏胆量。你给了我不少勇气。"

(460)早上,亨德森想送布兰森去火车站。但布兰森不赞成。"我们不能让自己引起别人的注意。你呆在家内,我慢慢逛出去,就像一名顾客。"他俩握了握手便告别了。

232

(461)在街上,布兰森留心着里尔登派来的暗探。唯一使他感到可疑的人,是站在附近的一个衣着褴褛的游手好闲者。当布兰森路过时,那人用迟钝的目光看着他。

(462)在火车上,布兰森没有发现任何可疑的人。与来时一样,他换了两次火车,其中一次等了半小时。他利用了这半小时找了一个电话亭,给汉伯雷的警方打了一个电话。

(463)电话接通了,他要求与警方负责人说话。对方接电话的人对此感到好奇,显出一副爱管闲事的样子,不肯答应他的要求。直到布兰森发脾气并声称要挂断电话时,他才与警方负责人通上电话。

(464)"我是帕斯科警长。"一个听起来很深沉,粗哑的声音说,"你是谁?"

(465)"我叫罗伯特·拉法格。"布兰森机智地说,"大约20年前我妹妹阿琳去了伯利斯顿,自那以后再也没有返回。我们认为她大概与一个男人私奔了。她是一个任性的、容易感情冲动的人。"

(466)"这与我们有什么关系?"帕斯科警长耐心地问道。"不曾暴露!不曾暴露!"布兰森紧张地暗自叫道。他心里产生了一种胜利的感觉。

(467)布兰森继续说道:"最近我与来自你们镇的一个人聊天。他说你们在一棵树下发现了一个女孩的尸骨。这好像是一桩旧案。我不知道死者会不会是阿琳,你们是否找到了表明受害者身份的线索?"

(468)"是谁告诉你的?你的一位朋友?""不,只是一个偶然相识的人说的。""你肯定他说的是汉伯雷?""他说这事刚好发生在伯利斯顿镇外。那是你管辖的地区,不是吗?"

(469)"当然是。但我们并不知道此事。""你是说……""我们并没有发现尸骨,拉法格先生。你是否有充分的理由怀疑你妹妹被人杀害了?"

(470)"恐怕没有。只是因为我们已多年没有得到她的音信了,上述消息使我产生了这种忧虑。""告诉你的那个人认识你妹妹吗?""不认识。"

(471)"你有没有将你妹妹的情况告诉过他?""绝对没有。""那么,他告诉你的只是他的想象。""也许是吧。"布兰森表示承认。

(472)"他获得了一位听众。"帕斯科警长带着嘲弄的口吻说,"我们经常抓来一些人,他们喜欢坦白自己并没有犯过的罪行。我认为,对这种公开的恶作剧如果有更严厉的惩罚措施就好了。在这方面我们浪费了很多时间。"

(473)"谢谢。"布兰森彻底地松了一口气说,"麻烦你了,真对不起。""别想它了。你的疑问没有根据。我们能对你说的就这些。"

(474)布兰森再次向他表示感谢,随后挂断了电话。他在附近的一个地方坐下,开始沉思起来。布兰森虽然没有看见对方,不过,从口气来判断,他说得既诚恳,又直率。

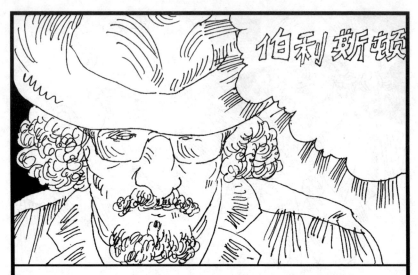

伯利斯顿

(475)他甚至没有产生过布兰森是在自投罗网的想法。这就使事情明朗多了。尽管布兰森自己的记忆是这样认为的,尽管那位卡车司机是这样说的,但在伯利斯顿根本没有挖掘出什么尸体。

(476)火车站里人来人往。布兰森一直思考自己的问题。此刻他几乎忘了周围其他旅客的存在,也没有留意是否有人对他感兴趣。

(477)纷乱的情绪已经消失了。犯罪感在某种程度上依然存在,但已不再使他惊慌失措。帕斯科警长帮他消除了干扰因素。

(478)他要找个地方清静一下,好好地整理一下自己的思绪,这许多天来,头脑里一直乱纷纷的,现在是该理清的时候了。

(479)布兰森拐进车站的洗手间,用凉水洗了把脸,在知道他并不是受到警方的通缉之后,他的心略略轻松下来。

(480)一辆火车进站了,但布兰森并不急着乘它。他并没有犯罪,他越来越认为这是肯定无疑的。实际上,毫无疑问是"阿琳"控制了他的潜意识。"我并没有犯罪,无须因此而谴责自己。"布兰森对自己说。

(481)突然,布兰森双手冒汗,眼睛里闪现出惊恐的目光。他想起了一件事:那一天早晨,他莫名其妙地从石阶上摔了下去。

(482)现在他还记得事情发生的全过程。他朝下滚了十来级台阶,下面还剩四十几级。正当他头部向前急速滚下去时,有两个人跑过来救起了他。当他倒在他们身上时,那两个人伸出手臂,用期待的眼光望着他。

(483)现在回想起来,布兰森忽然觉得那两个人对当时的情况所作的判断和采取的行动快得惊人,他们似乎早就知道事故会发生,并对此已有所准备。

(484)但当时他还是被震昏了,等他逐渐恢复知觉后,他发现自己坐在下面台阶的中央,那两个救他的人正在照料他,显示出十分关切的样子。

244

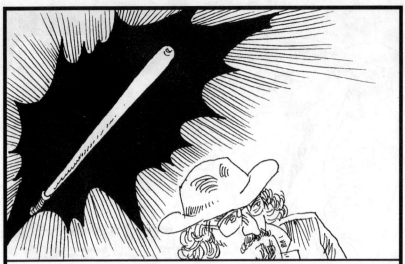

(485)一点一点回想,疑点就出来了:他很清楚肘部那块大伤痕是怎么得来的,那是自己昏倒之前撞在了一级石阶上;但头顶上的肿块和伤痕却无法解释,它更像是由打击引起的。会不会有人从他的背后猛击一下?

(486)当时,这起意外的事故使他的身心受到了很大的打击。现在回想起来,他不记得自己在中午到工厂报到之前究竟做了些什么。究竟是摔倒引起了他的精神崩溃,还是因为精神崩溃他才摔倒的?

(487)是的,在以后的一段时间里他的头脑混乱极了,以致他暂时失去了时间感,不知身在何处。他觉醒后发现,当时的时间比他想象的更晚。于是他不得不叫了一辆出租车以便在规定的时间内赶到工厂。

(488)那天正是 13 日,星期五!倒霉的事情就是从此开始的:傍晚他就听到了两个卡车司机有关"阿琳"尸骨的闲聊,接着就是那个身材高大的人开始跟踪他……

(489)车来了,布兰森乘车时也在思考,不知不觉中车就到站了。布兰森半走半跑地出了火车站。他穿过人群,不时撞上一两个行人,因此他不断轻声地向别人道歉。

(490)"现在你要将这点牢牢地记在自己聪明的头脑里:我是理查德·布兰森,我逃离大家是因为我以为自己杀害了一个名叫阿琳·拉法格的姑娘。但这不是真的!"

(491)那位不幸的阿琳只是一个幻觉,对此他感到比较肯定了。可要接受这种想法却非常困难,因为记忆仍在与此相抵触。否认自己的记忆就像从镜子里否认自己的面孔一样困难。

(492)他似乎还保持着对阿琳的记忆:后颈上扎着淡蓝色丝带的黑头发,让人震惊的乌黑发亮的眼睛,常会因表示蔑视而翘起的毫无血色的嘴唇……

(493)这简直是一幅立体画,就像她血红的指甲油那样色彩鲜明,画中的每个细节既完整又详细,十分逼真。然而,真有阿琳此人吗?她会不会是布兰森头脑中的某种臆造物?

(494)夜幕降临,无数的街灯在闪闪发光,所有的店面都已灯火辉煌。这是布兰森自己家乡的城市,可他并没有回家。要是有人想抓他,肯定会在他家守候的,他们会在那里监视,等待失踪的羔羊重新回到自己的羊栏。

(495)眼下他还没有采取行动的念头。他现在最需要的是有足够的时间暗中寻觅,以便找到能使他出气的目标,然后狠狠给他一拳。

(496)布兰森迅速而又谨慎地穿过市区。他们工厂有近百人住在附近,这些人同他至少很面熟。他不想被他们中任何人看见,更不想与他们交谈。对于他回来一事,他们知道得越少越好。

(497) 布兰森尽量选择那些灯光暗淡的街道走，避开主要的商业区。他只是在一家小店前停了片刻，买了一把剃须刀、一把牙刷的一把梳子。最后，他来到了离自己家最远的一家汽车旅馆。

(498)在旅馆里他洗了澡，吃了饭。他很想给多萝西打电话，并想约她在路边的一家咖啡馆或类似的地方见面。

(499)但他的孩子马上就要睡觉了,这样,多萝西就不得不去找一位愿意照看孩子的邻居。还是明天早上打电话更好,那时孩子已经上学了。

(500)现在他可以给亨德森打个电话,要是他还在湖畔的话。他拨通了电话。"你还在那里吗?"布兰森问道,"我还以为你现在已经走了呢。"

(501)"明天下午走。"亨德森告诉他说,"老阿迪将暂时负责店里的生意,他很乐意这样做。你探听到了什么消息吗?""是的。平安无事。"布兰森说。

(502)"什么意思?""警方对此一无所知,这是肯定的。"亨德森不太相信,他说:"即使他们确实了解情况,他们也不一定会承认。很可能他们想麻痹你,然后再设法抓住你。你给了他们足够的时间吗?"

(503)"不,没有。""你最好先别下结论。""我无须给他们时间,他们根本就不想抓我。""你怎么能如此肯定呢?"

(504)"因为他们并不想稳住我。"布兰森说,"我曾主动提出要去伯利斯顿,可他们并没有接受我的建议。他们根本没有兴趣见我。告诉你,亨尼,全部事情只是个幻觉而已,我将根据这一假设继续干下去。"

(505)"干?你能干什么呢?难道你要回到工厂去?""不,我不是这个意思。我想在周围探听一下,也许会侥幸发现一些有价值的东西。无论如何,我得试一下。不入虎穴,焉得虎子。"

(506)"你是不是找到了什么值得追查的线索?""也许我会找到的。"布兰森对自己皱了皱眉头,"我建议你回想一下当时的情景,也要回想一下与这此有关的人物。他们就是你的怀疑对象,你明白我的意思吗?"

(507)"布兰森,"亨德森无动于衷,"对于私人侦探这一行我没有信心。我不适合干这一行。"布兰森说:"我也不适合,但这并不能阻止我。如果你不试试,你就永远无法知道自己究竟能干什么。"

(508)"你就按自己的想法去干吧,祝你走运。"亨德森挂电话了。布兰森向汽车旅馆借了一本电话号码薄,拿到房间里,花了两个小时,一页页,一行行仔细地翻阅着,不时还做一些简单的笔记。

(509)他抄了一张有地址和电话号码的名单,上面有一个法律咨询机构、一个精神病专家、一个汽车出租行、两个侦探所、四个卡车运输公司,以及几个他从未去过的小餐馆。他把名单塞进皮夹后便睡觉了。这天晚上他睡得挺香。

(510)第二天早上9点30分,布兰森估计多萝西送孩子上学该回来了,于是给她打了个电话。他对约她见面一事十分小心,因为多萝西会成为寻找他的直接线索,再说还不知究竟谁在窃听他们的电话。

(511)"听我说,亲爱的。此事非常紧急,我不能多说,所以让我们说得简单些,好吗?你能否在 12 点半左右出来与我一起吃午饭?""当然,里奇。我很……"

(512)"你还记得自己曾经丢失银粉盒随后又将它找到的那个地方吗?我就在那里等你。""我记得,好吧。但为什么……"

(513)可是,布兰森已挂断了电话。毫无疑问,多萝西会对此感到讨厌, 但这是无可奈何的事。里尔登同他手下的那些人有权窃听电话,因此说话简洁以及含糊其辞是唯一办法。

(514)10 点左右他在一家汽车运输公司门前徘徊。这里是工业区, 宽阔的道路两旁排列着不少工厂、工场和仓库。与市中心相比这儿的车辆少多了,几乎全是装载着沉重货物的大型卡车。

(515)这里的行人极少,布兰森显得惹人注目,对此他深感不安。但他继续在汽车运输公司门前徘徊了约一个半小时,其间有一辆卡车进了大门,但没有一辆卡车出来。他仔细地观察了一下那位司机和他的助手,他从未见过他们。

(516)就在大门内侧有一台磅秤,旁边有一间小棚屋,屋内有一个门卫。每当卡车经过,他就记录一下,然后便无趣地望着窗外。

(517)他注意到布兰森在公司门前不断徘徊,于是用十分好奇的目光注视着他。最终他离开了棚屋,来到门外。"先生,你在等人吗?""我在寻找我认识的两个人。"布兰森简短地说道。

(518)"他们让你等得太久了,不是吗?你把他们的名字告诉我,我去对他们说你在这里。""对不起,我无法告诉你他们的名字,我同他们只是面熟而已。"

(519)"这就不好办了。"门卫说,这时棚屋内的电话铃响了,""等一下,"他说着跑进屋子去接电话。打完后他又来到门外。

(520)"我能描述他们的模样。"布兰森充满希望地说。"这没用,我可不善于辨认别人描述的东西。即使你替我的姨母玛沙画一幅油画,我也无法辨认她。"

(521)想了一会儿,门卫说:"你到那边的办公室去找理查兹。他对每一个雇员的情况都了如指掌,他应该知道,因为他能雇用或解雇他们。"

(522)"多谢了。"布兰森谢了门卫,向办公室走去。他对工作台后面的一位姑娘说:"请允许我同理查兹说几句话,好吗?"那姑娘冷冷地将他打量了一番之后说:"你想找工作?"

(523)"不。"布兰森吃惊地说,"我只想了解一些情况。"几分钟后他见到了理查兹。理查兹身材较瘦,看上去像是一个理想已经破灭的人,说话时尽量使自己显得比较和气。

(524)"要我帮忙吗?""是的。我想寻找两名卡车司机。""你为何要找他们? 难道他们遇到了什么麻烦? 你是警察还是保险公司的探子?"

(525)"我好像觉得你料想的全是坏事，"布兰森笑着说，"想必，这些司机使你感到很苦恼。""那是我的事情。你到底有何贵干？"

(526)既然对方似乎只习惯于同官方打交道，布兰森就半真半假地对他说："我是国防部的官员。"说着他亮出了证件，"我有理由相信这里有两名司机能够提供使国防部感兴趣的情况，我要问他们几个问题。"

(527)由于理查兹了解了对方的身份,说起话来不那么生硬了,"他们叫什么名字?""我不知道。但我可以向你描述一番。你的门卫认为也许你能帮我辨认出他们。"

(528)"好吧,让我试试。他们长得什么模样?"布兰森将小餐馆里的那两个闲聊的人描述了一番。他自感得意,认为自己的描述既真实又详细。

(529)当他描述完毕之后,理查兹说:"性格粗鲁的人我们共有 48 个,他们在全国各地跑车,其中大约有 20 人与你所描述的人多少有些相似。有些人几天内可以回来,还有些人要一周或更长的时间才能回来。"

(530)"那太糟了。"布兰森失望地说。"你敢肯定他们是在这儿工作吗?""我不知道他们究竟为谁工作。""我的天哪!"理查兹用将信将疑的目光望着他,"那他们的帽子上带着什么标志?"

(531)"不知道。""那么,他们驾驶的是什么汽车?车牌或标志又是什么?""不知道。我最后一次看见他们时,他并不在卡车内,而是在火车站,可能是在等火车。"

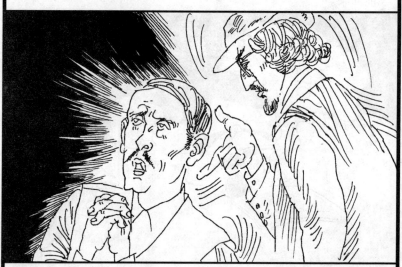

(532)"啊,上帝!"理查兹将恳求的目光投向天空,"我告诉你,一般的卡车司机是决不会乘火车的。他们通常将货物运往外地,如果他们能搞到运回的货物,就将它们运回来。很可能你要找的那两个人是流动司机。"

（533）理查兹有点不耐烦地解释说："流动司机通常将货物运往很远的一个汽车运输站,连车带货一起交差,然后在那里接受新的运输任务,驾驶另外一辆满载货物的卡车。如果没有新任务他们就会乘公共汽车或火车到别处去。"

（534）"我明白了。"布兰森这才明白做侦探可不是那么容易。"那么,只能结束我们的谈话了。""看来非得活到老,学到老才行。谢谢你告诉我这些情况。"

(535)布兰森准备离开了,刚走到门口,理查兹又叫住他说:"嗨,忘了提醒你,流动司机是不会在本地火车站候车的。"

(536)"这是为什么?""因为本城没有一家跨州运输公司。"布兰森仔细地思考了一下,说:"这就意味着他们可能不是卡车司机,是吗?不过,他们看上去肯定是卡车司机。"

(537)"我们的汽车服务间里有个家伙看上去很像拿破仑,可他不是。"理查兹语带揶揄地说。布兰森离开办公室,闷闷不乐地往外走去。

(538)他来到了出口处。那门卫从棚屋里走出来问道:"运气怎样,先生?"布兰森回答说:"不太走运。"

(539)布兰森完全了解多萝西的生活规律,知道她很快就要来了,就站在一个小停车场后面观望着。

(540)多萝西的车已到入口处,她熟练地将车停好,走出汽车,锁上车门。她只是在买停车票时稍微停留了一会,随后就离开了停车场。她拐向右边,随后沿着那条路慢步走去。

(541)多萝西拐进一家餐厅,停顿了片刻,确认没人跟踪后,她才放心地回到街上。

(542)这时又有一辆汽车开进了停车场,并在离多萝西不远处停了下来。车里走出两个男人,他们买了停车票,然后也拐向右边,跟在多萝西身后缓步行走。

(543)一般来说,这两个人会引起布兰森极大的怀疑,但他俩都是白发老人。不久,这两个老人走上了一座商业大楼的楼梯,随后推开了大楼的旋转门。

(544)多萝西仍然向前走着。在经过一家有趣的商店时,她稍微放慢了一下脚步。他仔细地观察了一下,发现多萝西并没有让人盯梢。

(545) 多萝西又一次走进了餐厅。布兰森在餐厅外稍微逗留了一会,然后他也走进了餐厅。多萝西正以期待的心情坐在一个僻静的供两人用餐的桌子旁。

(546)"嗨,亲爱的。"布兰森走到多萝西的对面打了个招呼。多萝西压抑住喜悦,招呼说,"嗨,邋遢鬼。"

(547)他们装着漫不经心地踱到餐厅外的阳台上,街上的行人行色匆匆,一点让人起疑心的迹象都没有。

(548)回餐厅坐下,多萝西俯身从座位下拿起一样东西放到了桌上,那东西竟然是布兰森丢弃在火车上的那只短途旅行手提箱。

(549)他惊讶地望着它,问多萝西:"你是如何得到它的?""一个高个子、黑皮肤的陌生人送到我们家来的。"

(550)"他是否留了名字?""是的,他叫里尔登。他是怎么拿到这只手提箱的?还有,丢了剃须刀和睡衣你是怎么过的?"

277

(551)"里尔登是怎么对你说的?""他说你正在留胡子,而且光着身子睡觉,究竟什么原因他不愿说。他认为你有可能想离婚,而且不想有人插手。"

(552)"我相信他会这样说的。"布兰森抱怨地说,"他希望你能透露一些有关我的情况。毫无疑问,他认为如果你感到有些恼怒的话,你就会更情愿与他合作。他有没有问你有关我的消息?"

(553)"他的确问了几个问题。可我什么也没对他说。毕竟我没什么可告诉他的。"多萝西变得严肃起来,"里奇,究竟发生了什么事?"

(554)"但愿我能告诉你,可我不能。至少现在还不能,而且,这件事情结束后,当局也许想对此保密。你是知道的,他们对那些爱多嘴的人是毫不客气的。"

(555)"是的,我当然知道。""不过,有一点我可以告诉你:这是一件有关我个人安全的事情。此事还涉及其他一些人。我还发现,此事并不像当初看上去那么严重。"

(556)布兰森说完起身去洗手间,多萝西望着他的背影,松了口气。她想,事情最终肯定会水落石出的。

(557)等布兰森从洗手间回到座位上,多萝西便问道:"其他受害者怎样了?""他们还不知道事情的真相……"他看到招待过来,便住了口。

(558)招待离开后,他继续说道:"我找到了一个,他也许很快会愿意并且能够帮助我。那人名叫亨德森,是在红区工作的一位弹导学专家,你还记得他吗?"

(559)"我不记得了。"她想了想说。"就是那个身体结实、挺着肚子的家伙,他头顶上的头发不多,戴着一副眼镜。几个月前你见过他。"布兰森说。

(560)"我还是想不起来,显然他没有给我留下什么印象。""他不会的,况且他从来不想给人留下什么印象。他不是那种喜欢在女人中间厮混的男人。"

(561)"你是说他不爱与别人交往？""可以这么说。"布兰森向多萝西投去了会意的眼色,她微笑起来。"亨德森随时都会来电话。我要离家几天,但你不必为此担心。我有充分的理由外出。"

(562)"里尔登也是这么暗示的。""该死的里尔登！好吧,如果亨德森打电话来,你就对他说他要有事可以告诉你。要是他盼我的回音,你问他我是否可以给他的五金店打电话。这样行吗？"

(563)"好吧。""还有一件事。如果里尔登或那高个子外国人或其他任何人到家里来向你提出各种问题,你还是要装出一无所知的样子,明白吗? 你就说什么屁事也不知道。好吗?"

(564)"好吧,要是他来我们家,我会睁大眼睛装出一无所知的样子。""你就这样对付他。他当然不会相信的,但他也别想了解什么情况。"

284

(565)这时饭菜送来了。他俩一直闲聊到用完午餐为止。

(566)布兰森敲了一下桌子,那位招待送来了帐单。付了账,等招待离开后他对多萝西说:"最近几天你是否发现有人在盯你的梢?"

(567)"没有,里奇。嗯,我是说我没有注意到这一点。难道你认为这很有可能?"有可能。任何一个想找我的人都会对你进行监视。"

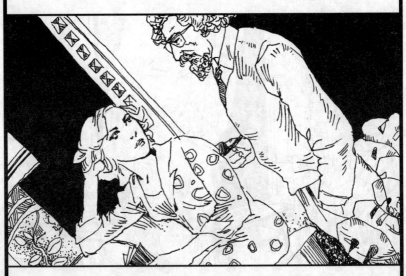

(568)"是的,我想他们可能会这么做的。""从现在起,你要留心一下是否有人在你身后盯梢。如果发现有人盯梢,不必感到讨厌。你要设法将他看清楚些,这样你就能告诉我他的模样了。"

(569)布兰森站了起来,伸手去拿帽子。"告诉孩子们,不久我就会回家的。明天晚上在孩子们睡觉之后我给你打电话。"

(570)"好吧。"她收拾了一下东西,然后与他一起离开了餐厅。到了外面,她问布兰森:"你要用汽车吗? 要不,我开车送你去某个地方? "

(571)"我还是不用汽车更好,知道我们汽车牌号的人实在太多了,我可不想招摇过市。"多萝西挽住他的手臂问:"里奇,你敢肯定你知道自己在干什么吗?"

(572)"不,我无法肯定。我简直像个在暗中摸索的瞎子,总希望自己的手能碰到值得抓住的东西。"布兰森用安慰的目光看了她一眼,接着说,"我也许会一无所获。但我仍会感到很高兴,因为我作过尝试。"

(573)"我知道你是怎么想的。"她带着充满疑虑的微笑朝停车场方向走去。布兰森一直望着多萝西的背影，直到她消失。

(574)他叫了一辆出租车，这辆车将他带到了另一家汽车运输公司的办公室。他对这次走访并不抱多大的希望，但他的确想让权威机构证实一下理查兹所说的话。

(575)那家公司的人对他说:"听着,先生,没有姓名和照片,你要寻找那两个家伙就好比想跟古埃及国王图坦卡蒙一起喝酒一样困难。他们可以是任何人,也可以在任何地方。你想,我们对此能做些什么呢?"

(576)他对这条调查线索毫无收获感到十分满意,这样他就可以去试一下其他线索了。只有尽了一切可能之后他才会认输,而在这以前他决不罢休。

(577)布兰森专走无人的小路,以便能有机会清醒地思考问题。是否还有其他线索能帮他找到这两个司机呢?他想出了一条线索,就是那个火车站,尤其是车站的小餐馆。

(578)经常去车站的人,如铁路官员、跟他们同行的乘客或别的司机,也许会知道那两个人的身份。

(579)除了这两个司机,另外还会有什么线索呢?还有一条线索,就是那个从镜子里盯着他看并盯他梢的大个子!那人在离布兰森家不远处消失了,他有没有可能就住在附近?

(580)此外,还有看见他从石阶上摔下来的那两个人。布兰森在摔倒之前曾模模糊糊地看了他们几秒钟,他们的面孔非常清晰地印在了他的脑子里,他敢肯定,如果再次遇见他俩,一定会立即认出他们。

(581)于是他不由自主地加快步伐朝火车站走去。尽管此刻他还不知道,而且也无法知道,但这是他首次朝着正确的方向行动。

(582)今天布兰森走进小餐馆要比平时早得多。他悠闲自得地坐在一张高凳上,叫了一杯咖啡。

(583)用餐的人不多,布兰森看见餐厅主管沃尔特,便向他打了一个招呼,轻声对他说:"沃尔特,我想打听一个人,也许你能帮助我。"

(584)停顿了一下,布兰森接着说:"你回忆一下,大约一星期以前有没有两个身穿工作服、头戴旧高帽的大汉来这里喝过咖啡?他们看上去像卡车司机,还谈起过谋杀案之类的事。"

294

(585)"谋杀案?"沃尔特突然眉头一皱,装出一副若无其事、毫不相干的样子,"不,布兰森先生,我根本没有听到有人谈过谋杀案,也记不起有这两个家伙来过。"

(586)"仔细想一想,当时这两个卡车司机就坐在这里。"在布兰森的追问下,沃尔特沉思了一下说:"对不起,布兰森先生,如果他们是卡车司机,我应该记得起来,可我一点印象也没有。等等,让我查查看。"

(587)沃尔特走到餐厅边的一张桌子坐下,从抽屉里取出订餐记录查看起来。布兰森走过去,"怎么样,记起来了吗?"

(588)"没有。从那天的订餐单上看不出什么。不过,我已经说过,我们这里不常接待卡车司机。"

(589)"好吧,还有一个人你是否记得?就在几天以前他只身一人来过这里,此人身高超过6英尺,塌鼻子,脸色红润,但有刀伤的痕迹。他就坐在这柜台旁边,默默无言朝着镜子看得出神。"

(590)"让我想想。"沃尔特说。这时门卫走过来,布兰森忙叫住他,问了他同样的问题,门卫摇了摇头。

(591)沃尔特似乎想起什么,问:"他说话是否像个外国人?""没错!虽然从未听他讲过话,但我有足够的理由可以确信他是一个外来人。"布兰森答道。

(592)"他到这里来过几次。大约就在这个时间。"沃尔特瞥视了一下墙上的钟,"坐在哪一个座位可记不起来。他大概有一个星期没来了,但我对他印象很深,因为他总是独自闷坐,两眼看着四周。"

(593)"你了解他的情况吗？"布兰森问。"我猜测他像是一个外国人，其他一无所知。"

(594)"你是否看到过他跟你认识的什么人在一起？""没有，布兰森先生。"沃尔特看样子有点不耐烦了。

(595)这时柜台上有熟悉的顾客在叫,沃尔特对布兰森说:"请稍等一下。"便起身过去招呼。

(596)过了一会儿,沃尔特从柜台那边过来,说:"我想起来了,你说的这人可能叫考西或者考茨。"

(597)"你怎么知道他的名字?"布兰森连忙追问。"有一天晚上我看到他跟往常一样坐在柜台旁。这时有四个年轻人走了进来,坐在那张桌子上。其中一个青年跟他打招呼,叫他考西。"

(598)"他听了很不高兴,严肃地朝那个青年看了好长时间,然后放下酒杯走了出去。其他三个青年耸耸肩膀,态度十分冷漠。"

(599)"你认识那个年轻人吗？""不认识，不常看到他。可能不是常客，偶然到这里来一次。"

(600)"那同来的其余三人是谁？""喔，其中一个我知道，名叫吉姆·福尔克纳。"

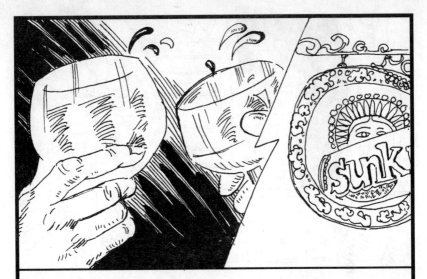

(601)"我想弄个明白，"布兰森放下酒杯，从凳子上站了起来，"我到哪里可以找到吉姆·福尔克纳？"沃尔特看了看钟说："他在布利克大街的沃斯理发店工作。"

(602)"谢谢你，沃尔特，今晚祈祷时我决不忘记你。""那太好了。"沃尔特脸上露出了一丝微笑。

(603)布兰森拖着疲乏的身子向布利克大街理发店走去。这家小店离餐馆不远,店内又暗又脏,有四把椅子和两个理发师,满地的散发没有打扫。

(604)离门口最远的一把椅子上,一个头发灰白、五十多岁的理发师正在替一位顾客剪发。另一个身材矮小、脸色灰黄的年轻理发师伸开四肢、懒散地坐在墙边的长凳上,正在翻阅连环画。

（605）看到布兰森走进店门,他没精打采地站了起来,指了指座椅,布兰森便坐了上去,"你是吉姆·福尔克纳？""是。"理发师点了点头。

（606）理完发,布兰森说,"请你出来一下。"年轻人跟着布兰森走到门口,问道:"有什么事吗？""有。"年轻人看着布兰森严肃的神情,说:"那么,到里面说吧。"

(607)"你还没告诉我,你怎么知道我的姓名?"理发师问。"我是从一个朋友那里获悉的,他叫沃尔特,在铁路餐馆工作。"

(608)"喔,这个讨厌的家伙!""我在追查一个人。他是个身材高大、长相丑陋的笨蛋。听沃尔特说一天傍晚你跟三个朋友一起去过那里,一个朋友跟这个笨蛋讲话却遭到他的冷落。你记得这件事吗?"

(609)"当然记得,这个笨蛋脾气很坏,而吉尔却笑着说他可爱得像条响尾蛇。""吉尔?"

(610)"他叫吉尔伯特。"这时福尔克纳的脸上呈现出一团疑云,"你在找什么?你是警察?""这纯粹是一件私事。我担保吉尔伯特不会有事的。好了,你告诉我他是谁?在什么地方可以找到他?"

(611)"他叫吉尔伯特·米切尔。在星星汽车修理厂工作,就在这条路的尽头。"福尔克纳有些不情愿地说道。"这就是我要知道的。谢谢你的帮助。"

(612)米切尔是一位金发碧眼的白人,身体结实,始终微微咧着嘴唇。他的双手被汽车润滑油沾成了黑色,脸上也有一些泥迹。奇怪的是他竟用沾有更多油污的脏手套去抹脸,这一举动引起了布兰森的注意。

(613)"我正在寻找一个彪形大汉,可不知道他的姓名和地址。我最后一次是在车站餐馆里看见他的。听沃尔特说,有一天傍晚你同吉姆·福尔克纳等人去餐馆的时候曾跟他打过招呼,却遭到他的冷淡。"

(614)"同他说话简直是白费口舌。""那你一定了解他的情况啰。"

(615)"不了解。我在闹市区的弹子房里常看到他。我每星期去那里两三次,每次都能看到他。通常他总是在我后面那张台子,同一个身材健壮、脸无表情的同伙打球,那个人叫他考西。我就知道这些。"

(616)"这个弹子房在哪里?"米切尔将地点告诉了他。布兰森又问:"考西平时什么时候去弹子房?"

(617)"时早时晚,经常变化,去得最多的时候是在9点钟左右。"米切尔咧着嘴说,"打弹子时别让他跟你赌钱,先生,你会受骗的。"

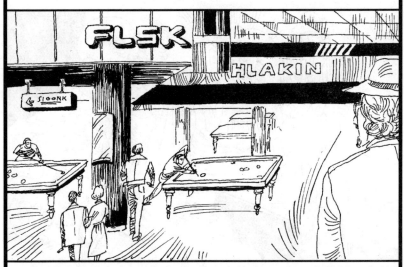

(618)这个弹子房有30张台子,其中大约有20张正在使用。布兰森装作漫不经心的样子在这烟雾弥漫的场所穿来穿去,仔细观察打弹子者和旁观者。由于大家都在兴致勃勃地欣赏弹子游戏,因此并没有人注意他。

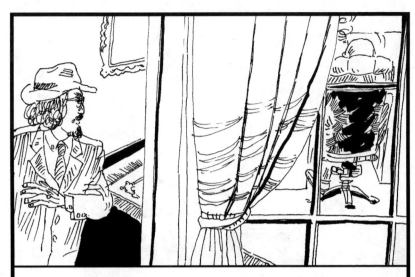

(619)走到位于弹子房一角的一间小办公室前面时,他从门口朝里面看,瞧见一个光头男人坐在里面,嘴里叼着一支细长的方头雪茄,正在玩弄一台时间记录仪。

(620)"你有没有看到过一个叫考西的大个子?"布兰森问道。那光头抬起头朝布兰森看看,脸上显出深深的皱纹和一副蛮不讲理的神态。他使劲地抽了一口烟,"我为什么要告诉你?"

(621)不顾对方的蛮横,布兰森打开皮夹,从里面取出了一张钞票。对方像是变戏法似的一下子使钞票不见了。尽管钱消失了,可收钱人的脸色依然显得很不愉快。

(622)"他的名字像是叫考斯塔维克。"那光头讲话时连嘴唇都没有动,"住在附近某个地方,最近五六个星期他才经常在这里出现。我不知道他靠什么谋生,也不想去打听。这就是我能提供的全部情况。"

(623)"他有哪些伙伴?""有四人,其中一个叫夏斯,另一个叫爱迪,还有一个我从未听说他的姓名。他们都讲英语,可发音不准。如果他们是美国公民的话,他们的身份证可能墨迹还未干呢。"

(624)"非常感谢你的帮助。"他意味深长地看了看对方,"记住,没有人跟你提起过这件事,也没有问过任何问题。""知道了,从未有人谈起过此事。"那光头继续不停地拨弄着时间记录仪。

(625)布兰森离开了弹子房,然后站在一幢房屋的门口注视着周围的动静。他所能得到的就这些。但这是一个可喜的变化,他这个曾是被追捕的对象现在已经成了追捕者了。

(626)黄昏临近。许多商店已经打烊,包括他在门口闲逛的那个商店也早已关上了门。只要没有好管闲事的警察逼他离开,他可以安心地在那里守候。可是他估计警察迟早会来打扰的,因为他们不喜欢有人潜伏在商店门口。

(627)刚想到这里,马路一侧就突然出现了一个警察。根据判断,事情已经无法避免,但马上离去可能更容易引起怀疑,倒不如暂且留在那里。

(628)警察迈着沉重的脚步,蹒跚地在他面前走过,对布兰森看都不看一眼。他脸部的表情和他的态度都清楚地表明他意识到布兰森的存在,却竭力装出视而不见的样子。这的确很奇怪。

(629)这一举动与警察的习惯做法截然不同。布兰森盯着他的背影感到十分困惑。一小时后,警察又回到这里,他仔细地检查了所有商店的门,只有布兰森身旁的那一家没查。

(630)他向布兰森看了一眼,似乎奇怪布兰森怎么还在这里,但他随即又向前走去。

(631)为了避免那个警察折回来又看见他,布兰森走了几步,登上几级台阶,到了一家俱乐部的护栏上。从这里也可以看见马路对面弹子房人员进出的情况。

(632)他一直监视到晚上 11 点半。这时从弹子房里出来了三个人,他感到异常的激动,因为他认出其中一个就是曾经在石阶上敏捷地扶住他的那两个人中的一个。另外两个完全是陌生人。

(633)在弹子房里布兰森并没有看到他,也没有注意他是什么时候进入弹子房的。也许他是在布兰森集中思想寻找考斯塔维克时进去的。布兰森临时改变了寻找考斯塔维克的想法,而跟踪起这三个人来。

(634)三个人沿着大街快步行走,边走边谈,对周围的一切毫不留意。路对面的布兰森在他们后面100码处紧紧地跟着。

(635)黑暗中,在布兰森后面更远处又走出两人,他们在路的两边跟踪他。再后面的路角上,刚才那个警察做了一个手势,一辆载有四个人的汽车徐徐开进这条大街。

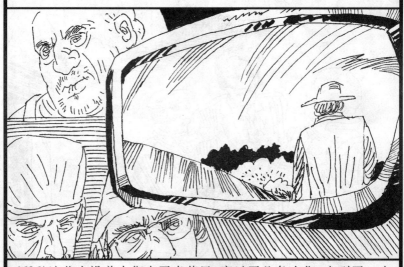

(636)这些人沿着大街走了半英里,穿过了几条小街,走到了一个大的十字路口。走在最前面的三个人在这里停了下来,交谈了几分钟后分头向三个方向走去。布兰森毫不犹豫地紧盯着他认识的那个人。

(637)布兰森后面的两个尾随者也分开了,他们分别跟踪布兰森放弃的另外两人。这时,在布兰森后面保持相当距离的那辆汽车停了一下,车上走出一人。那人一下车就跟在布兰森后面,而那辆汽车则在较远处缓慢行驶着。

(638)走在最前面的那个好像还没有对周围发生的事情产生怀疑。他走进了位于街角上的一间电话亭。布兰森也停住脚步,站在一道墙的阴暗处,将身体靠在一间砖房上。

（639）在布兰森身后的跟踪者也在一辆停着的汽车旁边懒懒散散地闲荡，装出一副正在不耐烦地等人的样子。

（640）那个人接通了电话，他说："考西，我在斯莱特和泰恩斯地区，有人盯上了我。呃？我见了难受！此人实在太稚嫩，露出了破绽，让我发觉了。你说什么？是，好吧，我把他带到萨米那里去。"

（641）那人离开电话亭时，强忍着没有朝后面布兰森等候的地方看，他稳步地向前走去。布兰森先让他走一段路，然后跟在他后面。后面那个人则继续跟在他们的后面。

（642）半分钟以后，跟在后面的那辆汽车在电话亭旁停了下来，车里走出一人，他拨了一个特殊的电话号码，向某人进行了盘问。接着他又打了一个电话，然后回到了车旁。

(643)汽车向前疾驰。走在车子前面的几个人都被抛在后面了,但这无关紧要,因为那个步行者可以引路。

(644)经过三条大街以后,那个步行者从黑暗中走了出来,叫那辆汽车停靠在一条小巷旁边。他同车里的人低语了几句,指了指路中段靠右边的一幢灰白色的公寓。车上走出两个人,他们三人一起小心翼翼地向那幢公寓走去。

(645)车里只留下司机一人。他伸手从仪表板下面取出一只手握式话筒,联接在无线电发射机上,发出了呼叫。附近某处有两辆装着货物的卡车开始朝他这个方向开来。

(646)走在最前面的那个人受到了几方面的跟踪,但他若无其事,根本不向后瞥一下。突然,他猛地一转身,跃上台阶,跑进了那幢灰白色的建筑物。房屋的前门十分诱人地敞开着,而他的身影却在一片黑暗中消失了。

(647)布兰森依然在马路对面慢慢地走着。他走过了那幢公寓,在另一个街道拐弯处停了下来,看了看地形。要决定下一步怎么办实在太简单了,要么走进屋子,要么留在外面。但是,如果在外面,这次跟踪便失去了意义。

(648)守候在一个规定的地点进行持久和专门监视是警察局或私人侦探的特长,但只有自己才能认出那些要寻找的人,所以布兰森非得要自己来承担这项任务了。

(649)但是,在这里整晚闲荡对他的耐心真是一个考验。不过,今晚还是有不少收获的:他监视弹子房希望能追踪到一个人,结果却找到了另外一个人。那么至少这两人常去同一个游乐场所。

(650)在附近的一些砖石建筑里还可能有这伙人当中更多的成员,也许他们五六个人都是一伙的,在一起聊天,一起密谋策划,一起饮酒作乐。

(651)一股怒火涌上了心头,布兰森打算进去冒一次险。他一生中第一次希望得到一支枪,虽然武器对他来说并不是必不可少的,也不一定有用。

(652)他走进屋里,悄悄地一层一层地走上去。里面十分阴暗,只有一只煤气喷嘴发出一丝若隐若现的光。过道的尽头有一座狭窄的楼梯,旁边有一座小电梯。公寓的四扇门都通向过道,底层一片寂静,好像无人居住。

(653)不过他能听到楼上轻微的动作声,好像从更高处还传来了收音机里发出的低沉的拉德茨基进行曲。整幢房子十分颓塌,墙上的油漆已经剥落,木制品大都被摔坏或刮破。

(654)他轻轻地走过一个个房间,查看门上写的姓名,光线太暗,他几乎把鼻子贴在门上了。在过道后部的一扇门上钉着一张肮脏的卡片,他凑上去仔细查看,只看到一个仿佛叫塞缪尔什么的名字。

(655)突然门被打开,继而有人对着他的腰背部猛地一推,使他一头栽进门内。

(656)他只听到房门在自己的身后砰地一声关上了,这时他刚好翻倒在地,脸部贴在旧地毯上。

(657)倒地的同时,他的脑子飞快地运转着:这样的猛推是故意的有预谋的,而且是动真格的。现在可不是承认犯错误,进行解释或请求谅解的时候,这些都行不通。

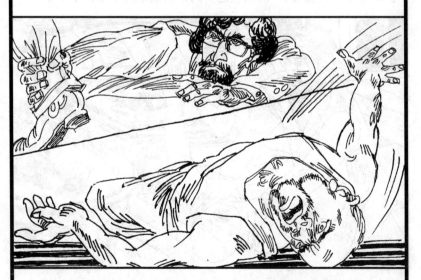

(658)布兰森拚命地在地毯上翻滚。突然,两条圆柱般粗的腿出现在眼前,他立即抓住脚踝,用尽全身力气将对方扳倒在地。那人摔倒在地,地板产生了剧烈的震动。那人正是考西!

(659)另一个人正准备对布兰森下手,考西的摔倒却使他不知所措起来。他围着他俩跳动,伺机进攻,考西正在晃动的一只长统靴却正踢中了他的膝盖,一块旧铁之类的东西从他的手中掉了下来。

(660)布兰森由于俯卧在地,难以使劲,情急之下,他拚命地卡住了考西粗大的脖子,同时将大姆指伸向对方的喉管,企图将他置于死地。

（661）一星期前他绝对不会相信自己会像虐待狂似地去勒死一个人，但现在愤怒与恐惧交织成一体，布兰森发出了从未有过的力量。他很明白，对手十分强大，同时，复仇的心理也给了他力量。

（662）布兰森奋力卡住考西的喉咙，他的脑子里始终闪现这样一个念头："我给你阿琳，杂种！我给你阿琳！"

333

(663)考西那双像铁铲一样、毛茸茸的大手夹紧了布兰森的腰,试图摆脱他的控制,但布兰森死死卡住他,毫不松懈,而只是把头稍稍向前躲开。两人疯狂地扭打在一起,考西的脸色渐渐发紫。

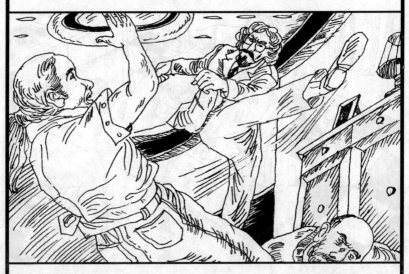

(664)另一个家伙冲上来,想从后面袭击布兰森。布兰森松开考西,转身飞起一脚,踢中了这家伙的某个部位,只听他惨叫一声,脱开了双手。

(665)这时,另一个房门也打开了,过道传来了一阵急促的脚步声。但布兰森仍把全部注意力集中在考西身上,没去抬头看。考西气喘吁吁,发出阵阵呻吟声,他挣扎着用膝盖击打布兰森的腹股沟。

(666)几双手同时抓住了布兰森,用力把他拖向一边,拉了起来。布兰森直挺挺地站在那里。有人突然伸出坚实而又长着老茧的手蛮横地向他猛掴了几个耳光,布兰森猝不及防,被打得头晕目眩向后倒退了几步。

(667)他气喘吁吁,头脑昏昏沉沉的,听不清周围的声音,便拼命地诅咒和呼喊。这时他的耳朵又遭到重拳打击,头脑一片混乱。

(668)他眨着双眼竭力注视周围,但没有看到考西,只是模模糊糊看到一些人的面孔,其中一个便是那个假冒的卡车司机。布兰森朝着他破口大骂,使尽全力冲上去猛揍了他一拳。

(669)但布兰森马上也捱了一拳,他第二次倒在地上。倒下时他心里明白,进入这幢公寓是一个极大的错误,而且他已无法获得再犯错误的机会了。房间里至少有六人,他们全都是残忍的敌人。

(670)有人跳起来踏在他的身上,有人朝他猛踢。大口大口的气从他的肺部和腹部排出,他本能地知道这样恶毒的殴打将会打断他的肋骨,但因离得太近无法避让,只得痛苦地熬着。

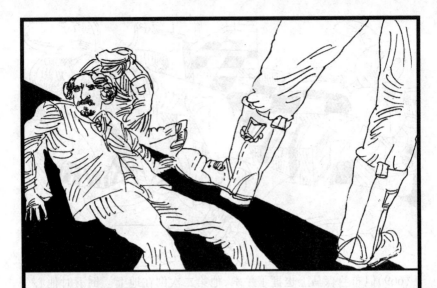

(671)这时大厅传来了一阵敲击声,只听一声巨响,屋里飘进了一股夜晚的凉风,接着有人高声大叫:"住手!"

(672)室内顿时寂然无声。凶狠的拳脚停止了。布兰森挣扎着,转了一下身子,脸部扑在地板上,想呕吐,但他吐不出来。

(673)他拼命平坐起来,双手捧着肚子,咪着一只眼睛。刚才他看错了,他的敌手不是六个,而是八个。他们面对着布兰森,眼睛却盯着他背后的大门看。他们一言不发,直挺挺地站在那里。

(674)布兰森放下了捧着肚子的双手。他握着前来挽扶他的人的手慢慢地站了起来。双脚顿时增加了力量。他转过身,看到四个穿便衣的人和一个穿制服的警察,他们全都带着枪,其中一人便是里尔登。

(675)事情有点出乎意料,布兰森有点无所适从地看着他们,心不在焉地"喂!"了一声,随即感到没有比这更傻的声音了。他没有受伤的半边脸傻笑着,而另外半边脸却露出一副尴尬的表情。

(676)里尔登没有理会这种滑稽可笑的场面,他正经地问:"你好吗?"布兰森答:"不好,我仿佛感到死亡已经来临了。""要不要到医院去看一下?""我只是被他们打了一顿,会好的。"

(677)"你尽给我惹麻烦。"里尔登坦率地告诉他,"你不让我们获得机会,只想自己干。""你们找到了他们,看起来是我给你们创造了机会。"

(678)"是我们正好帮了你的大忙。"里尔登说。他转身指指呆在一边的八个人,对那个穿制服的警察说:"我们的警车来了,把他们全部带走。"

(679)八个家伙茫然若失,脸部毫无表情地一个个走了出去。考西张开了嘴巴,用手抚摸着喉咙。从他的表情看,好像正在祈祷。

(680)里尔登用敏锐的眼睛查看了一下房间,对手下说:"好,伙计们,把这个地方仔细检查一下。必要时还可以拆除墙壁。如发现情况立即打电话到总部找我。"

(681)里尔登向布兰森做了一个手势说:"跟我来,私家侦探。"

(682)布兰森跟在里尔登后面,跨进了汽车的后座,不小心碰到了伤口,一阵剧痛使他发出了哼哼的呻吟声。他的颊骨在抽动,眼睛青肿,耳朵嗡嗡作响,嘴唇开裂,胃里呕出一股酸味,整个脸部一片疼痛。

（683）这时在这幢灰白色砖石建筑物的外面有三辆汽车排成一长列，还有一小群好奇的旁观者聚集在周围，其中有几个人穿着睡衣。里尔登坐在汽车的前座，他跟司机讲了几句话，开车前开了收音机。

（684）汽车沿着大街向前奔驰。里尔登转身对布兰森说："如果我要了解在高温条件下合金蠕动的特性，我应该向你请教。如果你想知道是谁在你卧室门上的钥匙孔上偷看，你应该来问我。"

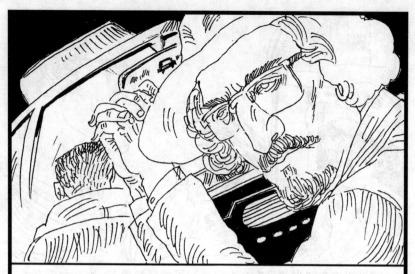

(685)布兰森默不作声。"我丝毫不会怀疑你作为一个科学家的才华。"里尔登接着说,"但作为一个骗子,你就像一个不会说话的乞丐,至于作为一个侦探嘛,你简直令人讨厌。"

(686)"谢谢。"布兰森闷闷不乐地说。"当你从火车上跳下去的时候,你可能是在自杀。这是一件十分愚蠢的事情。我丝毫看不出这有什么意义,这并没有使我们失去你的行踪。"

(687)"没有？""当然没有！我们通知了帕斯科警长,如果发现有关伯利斯顿方面的异常情况,必须立即报告。所以他把你询问有关无名谋杀案的情况告诉了我们,我们立即查出了这个电话是从哪里打的。"

(688)"你是将现有的事实综合起来判断的,是吗？""当然啰。这使我们有了一点眉目。实际上,你已经对我说了你当面不愿意说的情况,你是在良心上受到一桩凶杀案的纠缠。"

(689)布兰森抚摸了一下伤口,未作任何解释。里尔登接着又说:"然而并不存在这种罪行,帕斯科已经对你讲了很多了。我们就监视开往这里的出租车、公共汽车和火车,因此很容易在车站找到你并跟着你到处转。"

(690)"但我没有发现有人在跟踪我。"布兰森咂了咂嘴唇说。"你不可能发现,我们并不草率行事。"里尔登咧开嘴朝他笑着。

(691)里尔登对布兰森的行踪了如指掌。"你先是向餐馆招待了解情况,后又向理发店那个瘦小的家伙打听,然后又找那个活泼的机械工。当你最后在弹子房外驻足时,我们揣测你可能会找到某个人——果然被你找到了。"

(692)"有两个人突然改变了主意。"布兰森说,他想知道一些能使他满意的原始资料,"我无法同时从三条路去跟踪他们。"

(693)"我们能够做到,而且已经这样做了。无论他们走到哪里,我们都会盯着他们。"汽车停靠在一条商业街道的旁边,一幢楼房的二楼亮着灯光。里尔登和布兰森先后下了车。

(694)他们没有乘电梯,而是步行上楼。经过好多间灯火通明的办公室,来到一个门上只标有号码的房间,他们便走了进去。整个楼面的办公室充满一种日夜工作的紧张气氛。

(695)布兰森坐在椅子上:"我看这里不像警察局的总部。""侦查间谍活动、阴谋破坏的罪行是我们的职责,而不是警察局的事。"里尔登坐到写字台后面的椅子上,揿了一下内部通信联络系统的按钮,"叫卡萨索拉进来。"

(696)不一会儿便进来了一个人。他是一个动作敏捷,性格开朗的年轻医生。里尔登朝着布兰森点了一下头说:"这个笨蛋被人打了,替他敷些药,治疗一下。"

350

(697)卡萨索拉微笑着,向布兰森招了招手,领着他走进了急救室。他用药水涂擦布兰森眼睛周围的肿块,缝上开裂的嘴唇,用冰冻药水在被打肿的面颊和耳朵上擦洗。

(698)治疗结束后,他把布兰森带回了办公室。里尔登对着墙上的钟挥了挥手,对布兰森说:"现在是半夜 1 点 50 分,看样子我们要浪费一个晚上了。"

(699)"为什么?还会发生什么事吗?""是的。那两个逃亡者把我们引到了另外两个地方,其中一个地方发生了冲突,一个警察被枪打伤了。他们抓获了四名罪犯。我现在正等着听另一个地方的情况汇报。"

(700)这时铃声响了,里尔顿走到窗边,拿起了话机。"谁?麦克拉肯?怎么样?发现三个人,呃?什么?一组机械装置?别管那是什么,我马上同能够处理此事的专家一起去。"

(701)他随手取了一张纸条,"把地址再跟我讲一遍。"里尔登搁下电话,把纸条放进口袋并站了起来,"我想这次追捕该结束了。你最好跟我们一起去。"

(702)"这正合我的心意。"布兰森说,"也许我可以在这伙人当中找到某个人,并狠狠揍他一顿。"

(703)"你绝不能这样干。"里尔登斩钉截铁地说,"我把你带去是希望你能向我们提供有关这种装置的情况。我们要了解这是什么样的装置,它是怎样工作的以及能干些什么。"

(704)"我帮不了你的忙,对此我一无所知。"布兰森说。"你一定知道。当你看了以后,你可能会觉醒,并能有所回忆。"里尔登答道。

(705)他们在另一个办公室停留了一下。里尔登又叫了两个人,一个名叫桑德斯,另一个名叫韦特。前者是个中年人,身材结实而笨重,后者年纪稍大一点,他善于思考,眼睛有些近视。两人都显得十分自信。

(706)他们上了巡逻车,迅速地穿过市镇,朝着位于一条阴暗大街上的一个小仓库和办公室开去。很快就到了,一个下颚宽厚,肌肉十分发达的人打开了仓库的门向外探望。

(707)"在这里发现的三个人已被麦克带走。"当他们进入屋内时，那人向里尔登汇报说。"其中两人在里面睡得很熟。另一人是把我们引到这里来的那个家伙。他们对自己的被捕表示不解。"

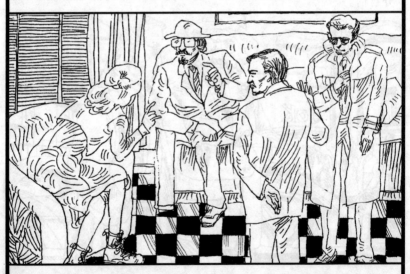

(708)"也许在天亮前还会有人来。我们留两三个人在这里。"里尔登怀着期待的心情朝四周看了一下，"麦克说的那些玩意在哪里？""就在那里。"他又指了指后面那扇门。

(709)里尔登使劲把门推开,走了进去,其他人都跟在他后面。墙上肮脏和破碎的广告表明这个仓库曾经堆放过玩具和某些花俏的小商品。现在它被糊墙纸板隔成小间用作三个人的卧室,剩下的地方,便是存放那些装置的场所。

(710)他们查看起那闪闪发光的玩意儿。这件装置有六英尺高,六英尺长,三英尺宽,大约有两吨重。它的后面装有一台电动机,前面有一对带罩的镜头。镜头正对着挂在对面墙上的丝绒幕布。

357

（711）里尔登对桑德斯和韦特说："上去操作一下，看看能发现什么。随你用多少时间——不过，我们越快越好。有事可到办公室找我。"

（712）里尔登向布兰森做了一个手势，然后把他领回到一个半暗半明的地方，那里坐着一个卫兵，正全神贯注地守卫着前门。

(713)里尔登坐在一张破旧的写字台后面,他把脚放在台子上,"你把另外两个人带回来。把汽车开出我们的视线之外,最好离这里两三条街,留一个人看好它,然后你跟其他人回到这里来。"

(714)"是。"卫兵打开了门,向外面望了望,然后走了。接着他们听到了汽车发出的轰鸣声。

(715)布兰森问："对付什么？""在把抓获的暴徒处理结束以前,我们还无法知道这伙暴徒的人数究竟是 20 人还是 200 人。或许我们已经把他们全都抓到了,但现在还无法肯定。"

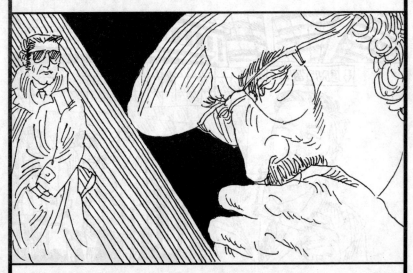

(716)"当他们发现有人失踪,一定会惊恐不已。他们会立即赶到这里,搬走或破坏这些新玩意儿。我还不敢确定他们会干什么——但我决不能忽视有人企图夺走罪证的可能性。""我想你是对的。"

（717）里尔登俯身仔细地望着他问："你是否记得这个鬼地方？"
"不。""好吧，你是否能认出那台装置？""不，无法认出。"

（718）"你能肯定你过去从未见过它？""我回忆不起来。只是我有一
种奇怪的感觉，这东西对我来说应该是熟悉的——可事实并非如
此。"

(719)他们不再交谈,彼此沉默着。布兰森竭力想从模糊的记忆中
搜索出些什么,但他一无所获。

(720)早晨五点钟时,出现了一阵格格声。有人想打开门锁。一个卫
兵手中握着枪,急忙前去开门,另一卫兵跟在他后面。来的却是巡
逻的警察。

(721)20分钟后,韦特从后面走了出来,右手拿着一块用发光材料制成的飘带,他的神情有些紧张,眼镜都滑了下来。

(722)"那玩意儿肯定不是用在狗身上的。"他说,"那是一种会使人感到恐怖的频闪射线。我真想把它的发明者的脑袋砍下来,那样我们这个世界肯定会得益非浅。"

(723)里尔登问:"它有什么用处?""请等一下。"韦特朝后门看了一下。

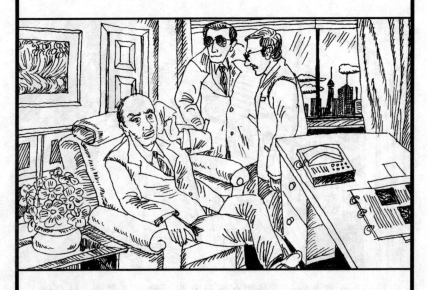

(724)这时,桑德斯走过来,坐到写字台旁边。他用手帕擦了擦脸。他的肤色呈暗红色,额上冒着汗珠。

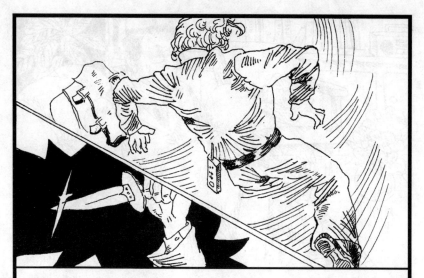

(725)"由于事先受到警告,没有中毒,我才侥幸地跑了出来。"桑德斯又擦了一下脸,望着里尔登说,"在那间刑讯室里我刚杀了一个人,干得非常痛快。我把他按在床上,然后割断了他的喉管。"

(726)"很好。"韦特挖苦地说,"这是一次残酷的蓄意谋杀,1000 年你才能见到一次这样有趣的谋杀。不过有一点毛病。"

(727)"什么毛病!"里尔登问,他眯起眼睛望着他。"他不可能犯下这个罪行,因为那是我干的,真的,是我亲手割断了他的喉管!"

(728)他俩争着承认犯了这件血腥凶杀罪,但里尔登却不为所动,只是说:"难道是同样的方法、同一个地点、同一个受害者、同一种动机?""当然,"韦特回答道,"还有同样的情景。"

(729)韦特挥舞了一下那根闪光的飘带："这就是那把杀人的刀。那件新发明是一台非常特殊的电影放映机。银幕上的图像由数以千计的微小的角锥形的小珠子组成，这种三维图像不需要极化过的眼镜就能清楚地看到。"

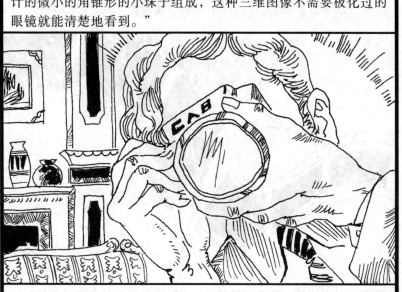

(730)"这算什么新发明？早已有人干过了。"里尔登嘲笑说。"事情并非如此简单。"韦特解释说，"首先，这种电影在摄制时，摄影机镜头与观众混为一体，其视角与观众的视角是一致的。"

367

(731)"这也已经有人干过了。"里尔登说。韦特说明道:"至今尚未有人干过的那部分在那条飘带中。它放映出一对并排的以角位移动的三英寸电影画面,从而产生一种立体效果。"

(732)"它用的是一种非标准镜头,这种镜头每分钟能放出 3300 个画面。每隔五个画面照明灯的亮度就突然升高一次,也就是说以每秒 11 个脉冲的速度产生一次闪光——同视觉神经的自然节律相吻合。你知道这意味着什么吗?"

(733)"不知道——请说下去。""这样全过程便产生了一种旋转镜像效应,这种脉动迫使旁观者进入催眠状态。"

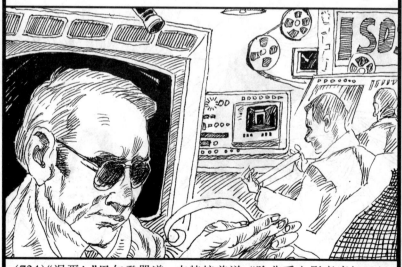

(734)"混蛋!"里尔登骂道。韦特接着说:"除非看电影者当初已经昏睡过——这是很可能的——不然他开始看时心里完全明白这纯粹是一部影片,但由于受这种效应的影响,他随后会不知不觉地进入催眠状态。"

(735)"他变成了一架摄影机,他的头脑被迫接受并记录一种虚假的记忆。脑子里有大量的空穴可以利用——人们过去经历的事情有些是不值得记忆的,这就在脑子里产生了空穴。"

(736)"这台设备能产生过去发生的罪行以及有关的人物、地点、犯罪动机、当时情景以及延续的周期的回忆,而人的头脑就把这些回忆记入过去留下的空穴里。"

(737)"对任何一个没有亲身经历过的人来说，这简直是不可思议的。"布兰森插话道，他感到有点可怕，"根据我的体验，这种效应实在是令人信服的。"

(738)"也就是说，这些富有创造力的专家设计出的是一种全自动的洗脑机。"韦特说，"如果有人事先没有提防而被抓住，而且也不知道自己遇上了什么，这玩意儿完全可以让他将黑色视作白色。"

(739) 他用手摸了摸口袋，又掏出一小段电影胶卷，递给了布兰森，"在这些储存器里存放着许多现成的凶杀镜头。其中有一起凶杀案发生在伯利斯顿，尽管它完全有可能是在几千英里之外摄制的。你认为呢？"

(740) 布兰森把它拿到暗淡的灯光下面一看说："哟，这不是阿琳吗？""或许她只是地球另一端的某个二流女演员。"里尔登猜测说。

(741)"真不敢相信!"桑德斯插话说。这是他在这段时间里首次说话,他仍然在出汗。"那些谋杀镜头太逼真了。但它的编剧也太拙劣了,其中的主要人物简直是在找死。"

(742)"我也这样认为。"韦特说。"你是怎么认为的?"里尔登追问道。

(743)"这些凶杀案实在太逼真了，人们绝不会认为它们是编造出来的。每个人都在催眠中扮演其中的角色，当他们发现最后一幕极其严重的时候,已为时过晚了。我猜他们会永远记住自己的凶杀案的。"

(744)里尔登沉思了一阵,毫无表情:"在有些人面前我决不会放映这种镜头。""这实在是十分恶劣的骗局。"韦特说,"受害者是无论如何也不会说出'真情'的。人们总是决意要把坏事隐瞒起来,你对他又有什么办法呢?"

(745)"我知道,我知道。"里尔登意味深长地看了一下布兰森,"我要把这件新发明的小玩意儿带到另外一个地方去仔细检查。"

(746)随后他看了看手表,对布兰森说:"我要把你带回总部去。让你好好睡上一天,吃几顿美餐。然后你把发生的事详细讲一讲,对我们抓获的几个人认定一下。办完后,你就可以回家了。"

(747)晚上六点钟,里尔登用车送布兰森回家。途中,他们还在谈论这件事:"毫无疑问,在那个星期的特殊情况下,你成了他们最容易挑选的目标。你被人猛击了一下,失去了知觉,然后被人带走。"

(748)"他们用洗脑机来对付你,再把你放回到石阶上。接着另一个家伙使'记忆'生效,而又有一个家伙迫使你出逃。""情况的确如此。"布兰森赞同地说,"可惜我没有在意那失去的两小时。"

(749)"当时你已经不知所措。"里尔登沉思了一下，接着说，"还得去召集其他所有的受害者。他们不知道自己是鬼魄附体。我们该怎样去对待他们呢？我们怎样才能确保这类事情今后不会再发生呢？"

(750)"这是一个容易回答的问题。"布兰森说，"把我的遭遇告诉大家，包括我为何会有这种遭遇。我倒并不在乎我会成为一种良好的解毒药。我的科学头脑很欣赏这种科学的诡计，尽管它是一种十分卑鄙的诡计。"

(751)"你认为这样做会让那些受害者回来吗?""当然会,他们会老老实实地返回工作单位的。他们一定会很生气,肯定会花时间研究一种更强更好的反击装置,而且一定会发明出来。"

(752)他看了看里尔登说,"有一件事你还没有告诉我,这件事我很想知道:这些阴谋诡计真正的幕后策划者是谁?"

(753)"对不起,我不能讲。但是为了使你满意,我可以告诉你两件事:第一,应我们的强烈要求,某国大使馆的三名官员将于今晚乘飞机离开这里;第二,你不可能得到奖章,但你很可能会发现自己的工资袋比过去更厚了。"

(754)"那挺不错了,我想我已经得益不浅了。""是吗?我认为这个世界上并没有正义。"汽车在布兰森家的外面停了下来。里尔登同他一起下了汽车,并陪他走到了门口。

(755)里尔登一看到多萝西便说:"我已经把逃跑者带回来了,他虽然受到了伤害,但依然是一个完整的人。我已答应给他增加工资,这足以使我喝上一大瓶威士忌,是不是?"多萝西吃了一惊,随后急忙去取酒。

(756)里尔登高高地举起酒杯,望着他俩说:"为谋杀案胜利破案而干杯!"说着便把酒一口喝了下去。

(757) 这时电话铃响了，多萝西听了电话对布兰森说："是你的电话。"她慢慢地走开，警觉地看看里尔登。布兰森咧开嘴对她笑了笑，然后拿起电话。

(758)电话里有一个声音在激动地高喊："布兰森,你完全正确! 我已搞清楚了! 你能听清我的话吗? 我已搞清楚了! 我们得一起去调查一下,布兰森,我正在返回途中,10点半可以到达。你能否跟我见见面?"

(759)"我肯定会的。"他放下电话,对里尔登说,"是亨德森打来的。他将在 10 点半回到这里,打算继续调查。"

(760)"他可以帮助我们辨认罪犯。"里尔登露出了轻松的笑容,"我认为这也是值得庆贺的,你说呢?"多萝西点了点头。她知道,快乐和平静又将回到他们的生活中。

怪异武器

世界科幻精品画库

主编：徐　芝

出版发行：福建少年儿童出版社

社址：福州市东水路 76 号（邮编：350001）

经销：福建省新华书店

印刷：福建新华印刷厂

开本：850×1168 毫米　1/32

印张：12　　**插页**：2

印数：1—5180

版次：2001 年 10 月第 1 版

印次：2001 年 10 月第 1 次印刷

ISBN 7—5395—2075—2/J·360

定价：13.00 元

如有印、装质量问题，影响阅读，请直接与承印厂调换。